iyi ki kitaplar var...

TİMAŞ YAYINLARI

İstanbul 2010

timas.com.tr

TARİHİMİZ VE BİZ
İlber Ortaylı

TİMAŞ YAYINLARI | 1832
Osmanlı Tarihi Dizisi | 32

YAYIN YÖNETMENİ
Emine Eroğlu

EDİTÖR
Adem Koçal
Neval Akbıyık

KAPAK TASARIMI
Ravza Kızıltuğ

1. BASKI
Haziran 2008, İstanbul

5. BASKI
Mayıs 2010, İstanbul

ISBN
978-975-263-756-6

TİMAŞ YAYINLARI
Alayköşkü Caddesi, No:11, Cağaloğlu, İstanbul
Telefon: (0212) 511 24 24 Faks: (0212) 512 40 00
P.K. 50 Sirkeci / İstanbul

timas.com.tr
timas@timas.com.tr

Kültür Bakanlığı Yayıncılık
Sertifika No: 12364

BASKI VE CİLT
Sistem Matbaacılık
Yılanlı Ayazma Sok. No: 8
Davutpaşa-Topkapı/İstanbul
Telefon: (0212) 482 11 01

TARİHİMİZ VE BİZ

İlber Ortaylı

İLBER ORTAYLI

1947 yılında doğdu. Ankara Üniversitesi Siyasal Bilgiler Fakültesi (1969) ile Ankara Üniversitesi Dil Tarih Coğrafya Fakültesi Tarih Bölümü'nü bitirdi. Chicago Üniversitesi'nde master çalışmasını Prof. Halil İnalcık ile yaptı. "Tanzimat Sonrası Mahalli İdareler" adlı tezi ile doktor, "Osmanlı İmparatorluğu'nda Alman Nüfuzu" adlı çalışmasıyla da doçent oldu. Viyana, Berlin, Paris, Princeton, Moskova, Roma, Münih, Strasbourg, Yanya, Sofya, Kiel, Cambridge, Oxford ve Tunus üniversitelerinde misafir öğretim üyeliği yaptı, seminerler ve konferanslar verdi. Yerli ve yabancı bilimsel dergilerde Osmanlı tarihinin 16. ve 19. yüzyılı ve Rusya tarihiyle ilgili makaleler yayınladı. 1989–2002 yılları arasında Siyasal Bilgiler Fakültesi'nde İdare Tarihi Bilim Dalı Başkanı olarak görev yapmış, 2002 yılında Galatasaray Üniversitesi'ne geçmiştir. Halen Topkapı Sarayı Müzeler Müdürlüğü Başkanı görevini de yürütmektedir. İlber Ortaylı, Uluslararası Osmanlı Etüdleri Komitesi Yönetim Kurulu üyesi ve Avrupa İranoloji Cemiyeti üyesidir.

Diğer Eserleri

Tanzimat'tan Sonra Mahalli İdareler (1974)
Türkiye'de Belediyeciliğin Evrimi (İlhan Tekeli ile birlikte, 1978)
Türkiye İdare Tarihi (1979)
Alman Nüfuzunda Osmanlı İmparatorluğu (1980)
Gelenekten Geleceğe (1982)
Tanzimat'tan Cumhuriyet'e Yerel Yönetim Geleneği (1985)
İstanbul'dan Sayfalar (1986)
Studies on Ottoman Transformation (1994)
Hukuk ve İdare Adamı Olarak Osmanlı Devletinde Kadı (1994)
Türkiye İdare Tarihine Giriş (1996)
Osmanlı Aile Yapısı (2000)
Osmanlı İmparatorluğu'nda İktisadi ve Sosyal Değişim (2001)
Osmanlı Mirasından Cumhuriyet Türkiye'sine (2002)
Kırk Ambar Sohbetleri (2006)
Osmanlı'yı Yeniden Keşfetmek (2006)
Son İmparatorluk Osmanlı (2006)
Osmanlı Barışı (2007)
Üç Kıtada Osmanlılar (2007)
Tarihin Sınırlarına Yolculuk (2007)
İmparatorluğun En Uzun Yüzyılı (2008)
Tarihimiz ve Biz (2008)

İÇİNDEKİLER

ÖNSÖZ / 7

TARİH BİLİNCİ NEDİR? / 9

TARİH YAPMAK - TARİH YAZMAK / 15

TÜRKİYE'NİN OLUŞUMU / 29

HAÇLI SEFERLERİ / 39

ANADOLU'DA OSMANLI HÂKİMİYETİ / 47

OSMANLI'NIN BALKAN FÜTUHATI / 53

BALKANLAR'DA OSMANLI HÂKİMİYETİ / 63

BİR BALKAN İMPARATORLUĞU OLARAK OSMANLI / 73

OSMANLI'NIN XVI. VE XVII. YÜZYILLARI / 79

VİYANA KUŞATMASI: YENİ BİR OSMANLI'YA DOĞRU... / 91

BATILILAŞMA NEDİR? / 99

OSMANLI MODERNLEŞMESİ / 107

OSMANLI'NIN XIX. YÜZYILI / 119

BATI'DA TÜRK İMAJI / 125

YABANCILARIN GÖZÜYLE OSMANLI / 131

AVRUPA NEDİR, NERELERİ KAPSAR? / 137

ROMALILIK, TÜRKİYELİLİK, OSMANLILIK / 145

OSMANLI MİRASI / 149

DOĞU VE BATI AYRIMLARI / 153

OSMANLI BATILILAŞMASI / 161

OSMANLI BATILILAŞMASINDA YERLİ VE YABANCI
KADROLAR / 167

OSMANLI ÜZERİNDE ALMAN ETKİSİ / 173

5

19. YÜZYILIN SON ÇEYREĞİNDE İNGİLTERE-FRANSA-
ALMANYA REKABETİ / 179

KATOLİK – ORTODOKS DÜNYASI / 187

'SOYKIRIM' İDDİALARI ÜZERİNE / 197

TARİH-SANAT İLİŞKİSİ / 203

OSMANLI'DAN GÜNÜMÜZE MÜZELER / 211

MATBAA VE KİTAP / 219

ÖNSÖZ

Milletlerin ortak hafızası, tarih dediğimiz zaman kesiti içinde oluşur. Bizim dışımızda gibi görünen birtakım olaylar, savaşlar, istilalar, göçler kimliğimizin oluşumunda son derece müessirdir. Bu mülahazalarla baktığımızda gerçek bir kimlik bilincine ulaşabilmek için, kimliğin vazgeçilmez unsuru olan tarihi iyi bilmemiz gerektiğini görüyoruz. Nitekim son yıllarda tarihe ve tarih kitaplarına bir süre öncesine nispetle daha yoğun bir ilgi gözleniyor. Tarihî olaylara, tarihe bigâne kalınamayacağını görüyoruz. Bilmesek ve dikkate almasak da tarih kendisini bize dayatıyor.

Bu kitap, çeşitli vesilelerle yaptığım konuşmaların gözden geçirilerek kitap haline getirilme projelerinden biridir. Osmanlı'nın klasik dönemi ve modernleşme sürecinden bazı sahnelerin yanı sıra Haçlı Seferleri, Katolik-Ortodoks kiliselerinin ayrım noktaları gibi farklı konulardan bahsettiğimiz kitabın, gelecekte daha kapsamlı analizlere kapı aralamasını ümit ediyorum.

İlber Ortaylı

Mayıs 2008

TARİH BİLİNCİ NEDİR?

Sık sık söz ettiğimiz bir kavram vardır: Tarih bilinci. Tarih bilinci, kuşkusuz tarif edilmesi gereken bir kavramdır. Ne var ki sosyal bilimlerin metodolojisinde tarifler doğa bilimlerinde olduğu kadar herkesçe kabul edilir bir nitelik göstermez.

Ferdin tarih bilinci edinmesinde onun tecrübeleri, dünya görüşünü ve yaşam tarzını şekillendiren olaylar, ailesi, mensup olduğu toplumsal sınıf, ekonomik durumu tayin edicidir. Bunlara göre kişide bir bilinç oluşabilir. Toplumların tarih bilincinde ise, durum bu kadar net değildir. Zira toplum her şeyden evvel, uzun bir zamanın ürünü olarak ortaya çıkar; bu uzun zaman içinde bir içtimaî düşünceye ve bilince ulaşılır ki bu kollektif (mâşerî) bir bilinçtir. Kollektif bilinç ise, toplumun etrafında birleştiği değerler bütününü ifade eder. Elbette ki toplum dediğimiz şey, bütünüyle bir noktada buluşmaz, kendi içinde farklılıkları da barındırır. Ancak hiç şüphesiz asgarî bir birleşmeden bahsedilebilir. Nihayette şunu diyebiliriz; toplumsal bilinci şekillendiren en önemli unsur, geçmiştir.

İnsan için genel bir tanım yaparsak, kendisine; *"tarih bilincine sahip varlık"* diyebiliriz. Geçmişini bilen, merak eden, yanlış da olsa bilmeye çalışan, gelecek endişesi olan, geleceğe dönük bazı tahminler yapan tek varlık insandır. Bu bakımdan, insanı tarih bilgisinden ve tarih bilincinden soyutlayamayız. Toplum için de tarih bilinci çok önemlidir. Şüphesiz bir toplumu, bir etnik grubu, ulusu oluşturan unsurların başında dil, din ve toprak parçası gelir. Bu üç unsurun zaman içinde iç içe geçmesi, iç içe geçişte yaşanan süreç, tarihi oluşturur. Hangi dili konuşacağız? O dil nasıl istihaleler geçirir? Bir tarihi, uzunca bir zamanı bir arada yaşayarak dilimizi kurarız. Toplumlar nihayette insanlardan oluşur, insanlar da sonuçta ortak paydalarda benzeşirler. Ama görüyoruz ki, toplumlar birbirlerinden farklıdırlar; aynı dili konuşmazlar. İşte bu farkı doğuran şey, tarihtir.

Niçin şu grup bu dine mensuptur da, öbürü değildir? Türkler üzerinde bunu görmek mümkündür. Belki çok insanın dikkatinden kaçıyor; Türkler arasında üç büyük dine mensup insan vardır. Mesela Karaylar, (çoğumuz 'Karayiler' diyoruz) gerçi Yahudi dinindedirler; ama bunlar, Tevrat'a inanan, Talmut'u reddeden bir mezheptir. Fakat diğer Yahudiler gibi Hem Tevrat'ı, hem Talmut'u kabul eden bir Türk grup da vardır. Kırım adasında onlara Kırımçaklar denir. Bunlar Alman işgalinden sonra, kıyıma uğramış bir zümredir. Yine Romanya, Ukrayna, Moldavya ve Bulgaristan'da da uzantıları bulunan Gagavuz Türkleri Ortodoks Hıristiyanlardır.

Bir kavmin böyle üç ayrı din grubuna sahip olması da, tarihin kurduğu bir şeydir. Demek ki tarih dediğimiz zaman kesitinde, coğrafyada olaylar meydana gelir; milletlerin ortak hafızası ve bilinci de bunun içinde oluşur. Oluşan şey kimliğimizdir. Kimlik; bizim dışımızda gibi görünen birtakım olayların, savaşların, istilaların, göçlerin içinde oluşan ortaklıklardır; dil ve din gibi şeylerdir.

Tarihe müdahale etmek

Modern zamanlarda toplumlar, geleceklerine belirgin ölçüde yön verme eğiliminde olmuşlardır. Artık bilinçli olarak, yaşam biçimimizi ve tarihin bize sunduğunu değiştirmeye çalışıyoruz. Özellikle kimlikte bu çok önemlidir. Bu sebeple kimliğin en önemli parçası, en vazgeçilmez unsuru olan tarihi iyi bilmemiz gerekiyor. Tarih bilgisi ve bunun getireceği bilinç, bir toplum için çok önemlidir. Uygar milletler, özellikle XVIII. asırdan itibaren tarih eğitimine son derece önem vermişlerdir. Hatta Osmanlı uyruklu kavimler, mesela Bulgarlar XIX. yüzyıldaki ilk gazetelerinde dahi millî tarih ve coğrafyaya sütunlar ayırmışlardı. (İzmir'de çıkan Lyboslovje) Oysa Türkiye'de bu, ancak son asırda anlaşılmıştır. Modern ulusları oluşturan bu bilginin üzerinde yeterince durulamadığını, tarih bilincimizin henüz inşa halinde olduğunu kabul etmeliyiz. Bu inşa safhasında da birtakım zıt görüşler ortaya çıkmıştır. Bunları gayriilmî olarak vasıflandırmak mümkündür. Bu yorumlar ve bilgiler, irrasyoneldir.

Bir örnek üzerinde duralım. Mesela bizdeki bir tarih yorumu şudur: *"Türkiye, Cumhuriyet'in ürünüdür. Türk ulusu, yeni bir devlet, yeni bir vatan kurmuştur. Sonuç olarak bizim tarihimiz, Cumhuriyet'in kuruluşuyla başlar."* Oysa böylesi kısa bir tarihsel süreç, kompleks bir geçmişi olan Türk milletinin tarihini kuşatamaz. Bu açıklama, tarihsel ve toplumsal kimliğimizin/bilincimizin oluşumunu izah edemez. Bu olsa olsa, ancak tarihimizin son safhası olabilir. Cumhuriyet'in kuruluşuyla birlikte yeni bir tarihî sürecin içine girdiğimiz bir gerçektir, ama biz bu tarihten ibaret değiliz. 700 yıllık Osmanlı tarihini görmezlikten gelemeyiz, çünkü Türk halkını oluşturan, bu tarihtir. Üstelik bu, sadece

Türk halkının değil, sınırlarımız dışında kalan Türk etnik gruplarının da tarihidir.

Bizim milliyetçiliğimiz nasıl bir şeydir? Türk ulusçuluğu, mekteplerde öğretilen ve öğrenilebilen bir şey midir, yoksa yaşanan olaylarla, felaketlerle ve kıvançlarla elde edilen bir durum mudur? Bugünkü vatanperverliğimiz nereden doğmaktadır? Bu soruların cevabını vermek gerekir.

Çok açıktır: Milliyetçiliğimiz ve vatanperverliğimiz, Çanakkale'de yurtlarını savunmak için o muazzam şehitliği dolduran muhterem insanların kanlarıyla oluştu. Pek çok ülkede böyle bir şuur görülmez. Bizim Çanakkalemiz vardır. Her ülkenin tarihinde böyle zaferler yoktur. Yurtseverliğimiz ve ulus bilincimiz; 1453 İstanbul'un Fethi, 1473 Otlukbeli Savaşı, 1517 Mercidabık, Ridaniye, 1526 Mohaç ile mi oluşuyor? Evet... Aynı şekilde 1699'daki Karlofça Antlaşması, 1774-1783'te Karadeniz'in kuzeyinin kaybı ve anavatana muhacir kitlelerinin sızmaya başlaması, 93 Harbi (1877-1878) gibi felaketler de milliyetçiliğimizin unsurlarını oluşturuyor.

Bize Rumeli'yi kaybettiren Balkan Harbi, tarihimizde bir kilometre taşıdır; tarih bilincimizi, milliyetçiliğimizi belirleyen bir olaydır. Bu kaybın sonrasında gelen muhacirler bugün Türkiye'deki nüfusun en az dörtte birini oluşturuyorlar. Günümüzde de bu savaşın, bu yıkımın kalıntıları varlıklarını sürdürüyor. Balkanlar'daki Türk etnik grubu, oradaki devletler için hâlâ bir problemdir. Bu grubun etrafla uyumu sağlanmadığı sürece, orada gerçek anlamda bir barış tesis edilemez. Bunu böyle görmek gerekiyor. Sonuçta tarihî olaylar, tarih bilinci göz ardı edilemiyor. İnsan; *"Beni ilgilendirmez, ben bunu hafızamdan sildim"* diyemiyor. Tarih, zamanın her diliminde insanın önüne çıkıyor, bir tortu olarak kalıyor. Çocukluğunuzda geçirdiğiniz bir hastalık, nasıl sizinle birlikte yaşarsa, tarih de toplumların hayatı için böyledir.

Tarihî olaylara, bütün bir tarihe bigâne kalamayız. Tarih, karşısında nötr kalabileceğimiz bir şey değildir, dikkate almak zorunda olduğumuz bir şeydir. Öğrenmezsek, bilmezsek ve dikkate almazsak da o tarih kendisini bize dayatır, hatırlatır. İşte biz bugün bunu yaşıyoruz. Bu yüzden, tarih bilinci, mutlaka, ama mutlaka sahip olunması gereken bir şeydir.

Osmanlı Devleti'nin kuruluşu özel bir öneme sahiptir. Bir kurmacaya yaslanmaz, akitlerle ve sözleşmelerle oluşmuş değildir. 29 Ekim 1923'te ilan edilmiş Cumhuriyet'in kuruluşuna benzemez. Yirminci yüzyıldaki devletlerin kuruluşu biraz da ihtilal şartlarında oluşmuştur. Yani devletler, ihtilal ve devrimlerle oluşmuşlardır; yaşananların tümü bir projenin pratiğe taşınmasıdır.

Elimizdeki bilgilere göre tam bir hukukî, siyasî tarihle karşı karşıya değiliz. Çünkü asrımızdaki devletler, mesela 14 Temmuz 1789 ihtilal günü ilan edilir ve ihtilali yapanlar devletlerin sınırlarını o gün öyle çizmişlerdir. 1948 yılının filanca gününde İsrail Devleti ilan edilir; bizim Cumhuriyetimiz ise 29 Ekim 1923'te. Yani devletler günümüzde bir akit gibi ortaya çıkar. Batıdaki devletlerin kuruluşu isimli cisimlidir. Ortaçağlarda ise devletlerin kuruluşu farazîdir, isimler sonradan verilmiştir.

Osmanlı İmparatorluğu'nun kuruluşu da -ki son büyük imparatorluktur, bu havalide yalnız Türklerin değil, bütün Akdeniz'in son geleneksel imparatorluğudur- sonradan bir tarih seçilmesiyle ortaya konmuştur. Bu bakımdan 1-2 yıl oynayabilir. Mühim olan bu değildir. Yine Osmanlı'yı kuranlar imparatorluk adını kullanmış değildir. O dönemin gazilerine *"Büyük imparatorluk olacağınızı biliyor musunuz?"* diye sorsanız, bilmem ne derlerdi.

Bu tarih, bir imparatorluğun tarihi olarak yeniden değerlendirilmiştir. Ne zaman? 15. asırda, özellikle II. Murat ve bilhassa Fatih Sultan Mehmet zamanlarında; çünkü o devlet artık imparatorluk olmuştur. Fatih'in imparatorluğu, Bosna'dan Doğu Anadolu'ya kadar uzanmakta, Deşt-i Kıpçak ve Ukrayna ovalarına kadar Kırım'ı içermekte; güneye, Suriye sınırına dayanmaktadır. Ondan sonraki 50 yılın içerisinde bu sınır, ikiye katlanır. Bu durumda biz, 700. yılda bir devletin kuruluşunu biraz farazî bir tarihle kutladık; fakat bu mühim değil; önemli olan, bir tarihi abidenin ortaya çıkışı.

TARİH YAPMAK - TARİH YAZMAK

Türkiye maalesef tarihçi bir ülke değildir. Tarihî bir ülkedir, tarihi yapan uluslardan biridir, ama tarih bilimine gerekli özeni göstermiş bir ülke değildir. Tarih yapmak kavramı ile ne kastediyoruz? Bazı yorumlar vardır; *"Tarihi biz yaptık, tufanlardan önce vardık, tufanlardan sonra da varız"* der. Bazıları da *"Tarihe ciddi bir etkimiz olmamış, göçebeyiz, yağmacıyız"* der. Şurası bir gerçektir ki, bu iki görüş de abartılıdır. Mesela Lüksemburglular, asla *"Tarihi biz yaptık, şöyle yaptık, böyle yaptık"* diye konuşmazlar. Ama Balkanlar'da genellikle böyle söyleyenler vardır. Romenlere sorsanız, onlar yapmışlardır tarihi; Bulgarlara sorsanız, zaten Şarlman'dan sonra Avrupa'nın en büyük imparatorluğu onlardır. Keza Yunanlılar aynı abartmayı yapmaktadır. Oysa biz tarih yapmak derken böyle bir bakıştan söz etmiyoruz.

Türkler gerçekten tarih yapımında müessirdirler; şuradan belli ki, bu bölgedeki hiçbir kavmin tarihini Türklersiz incelemek mümkün değildir. Bu söylediğimiz, elbette ki Mayalar'ın, Aztekler'in, modern Amerika'nın, Afrika'nın veya Hindiçin'deki devletlerin tarihini içermez. Fakat Eski Dünya'daki; yani Akdeniz çevresi, Avrupa, özellikle Doğu Avrupa ve "Asya-i vusta" dediğimiz Orta Asya'ya doğru uzanan devletlerin ve milletlerin tarihi Türklere değinilmeden incelenmez. Hatta ciddi tarihçi çevrelerde, *"Türkçe öğrenilmeden tarih yapılmaz"* denir. Meşhur bir sözdür; *"Balkanizm boş bir bilimdir, meğerki Türkçe öğrenesiniz"* denir. Türkçe bilmekse, Osmanlıca belgeleri okuyabilmek demektir. Belge okuyamayan Türkçe biliyor kabul edilmez. Bilim âleminin gözünde Türkçe biliyor sayılmanız için belgeleri okuyabilmeniz gerekir.

Eskiden tarih, antropoloji, uluslararası ilişkiler gibi dallarda doçent olmak için Osmanlıca imtihanından geçilirdi. Aslında o zaman dahi bu, yönetmelikte kalan bir hükümdü; benim imtihana girdiğim zaman bu hüküm yürütülmüyordu. Korkarım böyle giderse, 20 sene sonra tarih dalında dahi adayları imtihan mümkün olmayacak.

Ne yazık ki Türkiye'deki sosyal bilimcilerin 70-80 sene önceki metinleri okumamak, bunlarla ilgilenmemek konusunda büyük bir ısrarı var. Oysa bir tarihçi Osmanlıca okuyamadığı müddetçe heveskâr tarihçi olarak kalacaktır. Aynı şey diğer coğrafyalar için de geçerlidir. Latince bilmeden Macar tarihi çalışılmaz mesela. Herkes bilir ki 1848'e kadar Macar Krallığı'nın tüm mensupları, kançılaryası, memurları Latince kullanırdı. Ya da Orta Yunancayı bilmeden Bizans tarihçisi olunamaz. Bu anlamda ülkemizde ciddi bir filoloji uzmanlığı eksikliği var. Bu tür eleştiriler Batı tarihçileri arasında normal karşılanırken, bizim ülkemizde eleştiriler karşısında hazımsızlık gösteriliyor. Oysa tarih bilimi, filolojiyle yapılır.

Filoloji bakımdan kuvvetli olmayan bir kavim, Batı medeniyetine girmiş değildir. Batı medeniyetini diğer medeniyet çevrelerinden tefrik eden iki vasıf vardır: Bunlardan bir tanesi filoloji, diğeri musikidir. Doğu'da bugünkü Batı medeniyetinin, Batı musikisinin izlerine rastlanmaz, yani Yunan'da, hatta Roma'da, hele Bizans'ta, İran'da, Mısır'da bu izlere rastlanmaz. O başka bir müziktir. Onun devamı bugünkü Türklerin alaturka musikisiydi ama XX. yüzyılda dejenere edildi. Söylediğimiz gibi Batı medeniyetin diğer ayırt edici vasfı filolojidir. Batılılar ciddi bir filoloji bilgisine sahiptirler. Aslında eski dilleri öğrenmek tarihte sırf Avrupalılara has bir şey değildi. Mesela Kalde Krallığı'nda, Babilonya'da Sümer metinleri saklanırdı, çok ayrı bir dil olmasına rağmen Hitit memurları ve rahibleri Sümer metinlerini okuyabilirdi. Yine Güneydoğu'daki birtakım prensliklerin arşivleri kazılıyor; oradan da Hitit metinleri değil, Sümer metinleri çıkıyor. Sümer dili, tamamıyla ayrı bir dil, Sami dillerden biri bile değil ama o dönem insanı *Gılgameş*'i okuyormuş. Ya da İslam Orta Çağı'nda büyük İslam âlimlerinin çoğu İbranca ve Aramca bilirdi. Mesela ünlü hadis âlimi Buhari, İbranca bilirdi ki İsrailiyat'ı bu sayede tefrik edebilirdi.

Yine de tam manasıyla filoloji yapanlar, Batılılardır. Bunun çok uç örnekleri vardır. XVII. asırda 14 yaşında iki Fransız çocuk, hayatta Türkiye'ye gelmemelerine rağmen Türkçe öğreniyorlar. Gene XIV. Louis devrinin bilim adamlarından biri, Çin metinlerini okuyup içinden Türklerle ilgili bölümleri çıkarıyor. Bir Fransız, Sinoloji çalışıyor, Türklerle ilgili bölümleri ayırıyor; bizse onun yaptığı neşriyatı Hüseyin Cahit tercümesi sayesinde öğreniyoruz. Tarihî komşumuzun bizim hakkımızda yazdıklarını tetkik etmek çabamız yok.

Gene mesela Arabica, Persica diye Hafız'ı, Sadi'yi tercüme ediyorlar. Hatta Friedrich Ruckert, İran şairlerini çevirmekle de kalmıyor, çevirisini Almancada aruz vezni kullanarak yapıyor.

Oysa Doğu'da hiç kimsenin oturup Titus Livius'u, Vergilius'u, Homeros'u vs çevirdiği yok. Ta ki Tanzimat dönemi geliyor, Fransızca üzerinden tercüme ediliyor bu metinler.

Kur'an-ı Kerim'in, artistik nesir, seciyeli nesir dediğimiz bir stili vardır. Çevirilerde işte bu stili yakalıyorlar. Türklerin Kur'an tercümesi ise sadece bir tercümedir; ilmî bakımdan doğrudur ama oradaki stil, oradaki lezzet yakalanmış değildir, öyle bir gayret de yoktur. Halbuki Almanınkinde vardır, yani Ruckert okuduğunuz zaman, onun Kur'an tercümesinde böyle bir lezzeti yakalarsınız.

Bir devir ve bir medeniyet düşününüz ki, bir yanda Schubert'ler, Beethoven'lar, bir yanda Ruckert'ler... Ve bütün bunlara eşlik eden felsefî birikim. Mesela Hegel *"Hiç kimsenin Osmanlı tarihini yazdığı yoktu"* diyor, bunu dert ediyor. Goethe'nin Hafız'dan etkilendiğini, Hafız'ın Hammer sayesinde çevrildiğini, Doğu'nun rüzgârlarının geldiğini ve bu sayede Goethe'nin de büyük "West-Östlicher Diwan"ı (Doğu-Batı Divanı'nı) yazdığını söylüyor. Hadi Hegel'in ilgilenmesini bir dereceye kadar olağan karşılayalım. Engels, daha da ilgincini söylüyor: *"Hammer denen Alaman, -tabir bu- çıkıp da Osmanlı tarihini yazana kadar bizim diplomatların haberi bile yoktu o medeniyetten, bize bir şey vermediler."* Yani XVIII. asırda başlayan faaliyete boşuna "aydınlanma" denmemiş, dünya hakkında ciddi bir bilgi birikimi var.

Türkiye'de maalesef böyle bir faaliyet yok. Gerçi Türkiye, yakın zamanlarda tıpta ve mühendislikte büyük işler başardı, daha da başaracak. Ordular daima kendini reforme ediyor, başarılı oluyor, eğitim verebiliyor. "Managerial class", bütün hatalarına rağmen birtakım şeyleri başarabiliyor. Bunlar önemli, ama temel noktalarda bir duraklama var. O temel noktalarda duraklama olunca toplumun kendisini tanıması, gereken siyasî reformları yapması, kendini iyi değerlendirmesi mümkün olamıyor.

İyi diplomatlarımız var, fakat bu diplomatların kültürel ilişkiler sahasında fazla yaratıcı olabilmeleri mümkün değil; çünkü İspanya diktatörü Franko'nun diplomatları gibi değiller. *"Efendim, biz kendimizi tanıtmalıyız"* diyorlar. Çok güzel, peki devamı nerde? Franko'nun diplomatları örneğine bir bakalım. Bilhassa 1945'ten sonraki dünyada Franko İspanyası istenmeyen ülke idi. Nazi Almanyası'nın ve Faşist İtalya'nın müttefiki olmuştu, fazla bir geliri de yoktu ve tek parti rejimini değiştirme niyetini taşımıyordu. Ülkelerinin diplomatik etkinliğini artırmak isteyen İspanyol diplomatlar kültür işlerine yöneldiler. Görüldü ki İspanyol diplomat sınıfının böyle bir kültürü var. Maalesef bizim kadrolarımızda bu tür uğraşlar yoktur.

Tekrar tekrar söylemek gerekir ki tarih bilgimiz çok zayıf. Mesela Musul konusu ileri sürülüyor ve deniyor ki, *"Bizim Musul'da çok yüksek haklarımız var."* Bunu söyleyenler ne tür hakları olduğunun farkında bile değiller. Mesela "havass-ı hümayun" dediğimiz imparatorluk hasları vardır. Padişahın özel mülkü görünen şeylerdir bunlar. Onların statüsünü etüt etmeden, ne olduğunu bilmeden kulaktan dolma sözlerle konuşuyoruz.

Ermeni meselesi ve arşivlerin açılması

Yine sürekli konuştuğumuz bir mevzu: Ermeni meselesi ve arşivlerin açılması. Bu konuda söz söyleyenlerin tamamına yakını "arşiv"in ne olduğunu bilmiyor. Bir kez dahi arşive gidip orada ne gibi tasnifler var, o tasniflerden nasıl belge çıkar, belgelerin içindeki bilgiler neyi nasıl ifade eder, ne nasıl değerlendirilir, Osmanlı bir belgeyi XVII. asırda nasıl yazar, XVIII. asırda nasıl yazar bilmeden feveran ediyorlar: *"Arşivleri kapalı tutuyorlar!"*

Daha ilginci, bunu söyleyenler, yabancı arşivler üzerinde çalışmayı da bilmiyorlar, yani belgelerin muhtevasını senkronize okumak gibi bir vasıfları yok. Zaten bu konudaki külliyatın çoğu propaganda mahiyetli. İki tarafta da ezbere davranıyor, üslup olarak problemi anlayanı yok. "Holokost" benzeri bir jenositten bahsediliyor. Oysa ne bu taraf biliyor holokost'u, ne diğer taraf. Bilgiden uzak düşülünce bir tarafın suçlaması ve öbür tarafın savunması üzerine kurulu yaramaz bir tartışma içinde buluyoruz kendimizi. Bu sözler, ciddi heyetler önünde geçerliliği olan ifadeler değil.

Şöyle de ilginç bir şey oluyor: Ecnebi çevrelerden birisi, hakikaten Ermeni jenosidini savunmak için arşive giriyor; bir müddet sonra bakıyor ki mesele pek öyle değil, bunun holokost'a benzer yanı yok; o andan itibaren Türk tezini savunmaya başlıyor Mattei ve Roshenberg bunun örneği. Bundan sonra söylentiler çıkıyor; *"Efendim, Türkler para verdi."* Türklerin para verdikleri falan yok. Çünkü Türklerin bu adamlardan haberleri bile yok. Çok hazin bir gerçek: Türkiye tarihinin teknik olarak yazımını, birtakım tezlerin teknik tenkidini yapanlar ecnebiler, yani tarih eğitimlerini, tarihe bakış alışkanlıklarını tamamıyla bu çevrenin dışında edinmiş insanlar. Bunun üzerinde durulması gerekiyor.

Ansiklopediye bakmayı, herhangi bir konu için ansiklopedi maddelerini aramayı bile bilmiyoruz. Tabii, şunu da söyleyelim: Türkiye'de *İnönü Ansiklopedisi* ve *İslam Ansiklopedisi* dışında gerçek anlamda ansiklopedi de yoktur. Çoğu çok hızlı çevrilmiştir, telif edilirken vahim hatalar yapılmıştır. Dolayısıyla ansiklopedilere bakarak tez ileri süremezsiniz, bizdeki ansiklopedileri daimî surette yabancı ansiklopedilerle karşılaştırmalı okuyacaksınız. *Larousse*'a bakacaksınız, *Britannica*'ya bakacaksınız, *Brockhaus*'a bakacaksınız. Pozitif bilimlerin konusu olan bir madde değil ise, bilhassa sosyal ilimler sahalarında, tercüme ansiklopedilerde en azından terminoloji tercümelerinde sakatlıklar vardır.

Türkiye'de aristokrasi var mıdır?

Şimdi toplumda bir asalet merakı çıktı. İnsanlar boyuna bize şecere soruyorlar. Mesela bir hanım geliyor, *"Benim soyum İkinci Yakup'a dayanıyormuş, bunu araştırmak zorundayım"* diyor. Ama en azından bir Osmanlı tarih kitabını alıp okuma alışkanlığı yok. Türkiye'de size, Almanya'daki, Fransa'daki, Macaristan'daki gibi şecere veremeyiz; çünkü bizde böyle bir imkân yok. Belirli nüfus kayıtları olabilir; ama çoğu ya kayıptır, ya yanmıştır, ya da yangın geçirmiştir. *"Efendim, bizim şeceremiz falanca paşadan geliyor"* diyorlar. Falanca paşa dediğinizin şeceresinin nereden, nasıl geldiği belli değil. Çoğunlukla şöyle olur: Adam, bir paşa kızıyla evlenmiştir, kadın öldükten sonra o efendi alıp şecereyi başka biriyle evleniyor, çok oluyor bu. Paşayla alakası olmayan bir neseb, o paşanın füruu olduğunu sanıyor. Gidiyor, vakfiyeden kaydını düşürüyor, o isimler etrafta geziyor vs.

Bunlardan gerçek bir usul-füru ilişkisi çıkaramazsınız, yani Türkiye'de bir aristokrasi bulamazsınız. Hele bu aristokrasiyi tasdik edecek, meşrulaştıracak bir kayıt sistemi suret-i katiyede mevzubahis değildir; çünkü Türkiye'de böyle bir kurum yoktur.

Bu söylentilerin neticelerini görüyoruz. Boyuna herkes "sabetayist" oluyor. Ne sabetayist olduğu iddia edilen aksini ispat edebilecek durumda, ne de iddia eden her zaman söylediğini delillendirecek durumda. Bu arada yanlışlıklar da yapılıyor. Yöntem hatasını göstermek bakımından örnek veriyorum, bir devlet adamı için böyle dediler mesela. Oysa bu mümkün olamaz; çünkü o bakanın annesi Almandı, von Papen'in sekreteriydi, ondan evvel de Ribbentrop kabinesinde sekreterdi. Üçüncü Reich'ta bu tür vazifelere kabul edilen küçük memurlarda dahi 5 göbek değil, 11 göbek araştırılır. Alman kayıt sistemi, bürokrasinin nüfus kayıtları bunu temin edecek durumdadır.

Avrupa'da bu kayıtların arkasında, her şeyden evvel, kiliselerdeki vaftiz defterleri, nikâh defterleri, ölüm defterleri vardır. Bir müddet sonra belediye teşkilatlarının erkenden kurulması dolayısıyla belediyelerdeki vergi defterleri vardır, ki bunlar birçok şeyi açığa çıkarır. Aristokratlardan farksız bir şekilde, köylüler de 10-15 kuşak geriye kadar gidiyorlar, "serf" dedelerine kadar şecerelerini çıkarabiliyorlar; bütün bunlar mümkün. Böyle bir ortamın içerisinde tarih, kayıt sistemleri itibarıyla başka türlü yapılıyor; onu arz etmek istiyorum.

Aradaki farkı teslim etmek lazımdır. Bu dediğim sistem, sırf bu toplumun Müslümanları için değil, Hıristiyanları ve Musevileri için de geçerlidir. Burada söz konusu olan, dine bağlı bir şey değil, bir geleneksel yapıdır. Bugün hahambaşılığa gidip İstanbul'un önde gelen Yahudi ailelerinin şecerelerini çok sıhhatle ve derinlemesine tespit etmeniz mümkün değildir; ancak sözlü gelenekle tespit edilir. Türkiye'de filolojik yanı şiddetle tamamlamak lazımdır, ama bunlar yok diye tarih yapılamaz da değildir. Hiç kaçarı yok, yüklü bir filolojik malumatınız olacak ve okuyacaksınız.

Tarih nasıl yazılır?

"Tarih nasıl yazılır?" dediğiniz zaman söylenen genelde şudur: *"Efendim, kroniklerimiz vardır"*, yani Osmanlı'daki "vakayiname"ler vardır, bu kronikleri okursunuz, eğrisiyle doğru-

suyla tarihin ana hatları buradan çıkar. İkincisi, vergi defterlerine bakarsınız. Mahkeme kayıtlarına bakarsınız, toprak kayıtlarına bakarsınız, bu böyle gider. Nihayet denir ki: *"Mektuplara bakarsınız."* Bu şekilde "histoire de mentalité" yapıyorlar, yani zihniyet tarihini birtakım tarihlemelerle, mektuplarla yapıyorlar. Böyle bir şey maalesef bizde tam manasıyla söz konusu değildir.

Osmanlı İmparatorluğu 1299-1300-1301 yıllarından birinde kurulmuştur; tarihçilerin arasında münakaşalı bir durumdur. Noterden tasdikli bir senetle kurulmadı bu devlet; Büyük Constantin'in İstanbul'u kuruşu ise çok farklıdır. Constantin İstanbul şehrini kurarken -şehir vardı artık da- "Byzantion" diye bir yer vardı, hatta ona Klasik Roma çağında "Nea Roma" diyorlardı, çünkü Roma imparatorları bu şehri geliştirmeye başlamışlardı: Constantin'den evvelki imparatorlar Hipodrom'u, Septimus Severus surlarını yapmışlardı. Constantin *"Yeni bir plan yapıyorum, şehri genişletiyorum ve surları çeviriyorum"* dedi. O surlar bizce namalum idi. Neyse ki Marmaray Projesi dolayısıyla Yenikapı civarında ortaya çıktı. Constantin, surları çekti ve *"Şehri kuruyorum, tanrılar takdis etsin"* dedi. Hıristiyanlara da takdis ettirdi; *"Sizin Tanrınız da takdis etsin"* dedi. Tarih 332 yılının 13 Mayıs'ı idi, o güne "Uğurlu Gün" dendi. Böylece şehir bir seremoni ile kurulmuş oldu.

Osmanlı'nın kuruluşunda ise böyle bir şey yok; Osmanlı Beyliği, "Uğurlu olsun" diye böyle tarih düşürülerek kurulmuş değil. Yalnız kuruluşu betimleyen bazı vakalar var: Bir tanesi, süzeren statüsünde tabi olunan hükümet tarafından gönderilen sancak. Bazıları, örneğin Halil İnalcık Hoca diyor ki: *"Bafeon (Koyunhisar) Muharebesi'nden sonra civardaki bütün beylikler Osmanlı'ya katıldı, 'Osman Bey Hanımızdır' dediler, böylece devletin adı çıktı."*

Böyle bir görüş var. Ancak 1300'den aşağı yukarı 1440'lara kadar bu devletin kroniği, yani olayları günü gününe yazan vakayinamesi yok. Bu devri anlatan kroniklerin hepsi II. Murat ve Fatih Sultan Mehmet devrine ait. Bunların en akıllısı, *"Yahşi fakihten duyduğumuza göre"* diyor. "Yahşi fakih" diye, o devirleri görüp sözlü olarak nakleden, bize meçhul bir tarihçi var. Yalnız, bu tarihçinin de yazdığı bir şey yok, her şey şifahî. Gayet enteresan bir romantizmle sunulan bir tarih anlatımı. Fakat bu romantizm, bir kabile devleti, bir aşiret savaşçılığı romantizmi içinde değil; bir imparatorluğun insanlarının romantizmine benziyor; yani Titus Livius'un Roma'nın kuruluşunu anlatmasına.

(Titus Livius, İmparator Augustus, Claudius, Nero ve Caligula devirlerinin tarihçisi. Roma'nın efsanevî kuruluşu üzerinden (arada Cumhuriyet de kurulmuş) artık İmparatorluğa geçilmiş; ve bu kuruluş tarihlemesine göre bu eser 700'üncü senesinde yazılıyor, yani Titus Livius Roma'nın kuruluşunu 7 asır sonra yazıyor. O nedenle bu kaynakları kullanırken çok dikkatli olmak lazım.) Osmanlı'nın kuruluşu bir efsane haline getirildi. Bazıları, mesela Colin Imber *"Bu külliyen uydurmadır"* diyor. Nereden biliyor külliyen uydurma olduğunu, gidip tetkik mi etti? Masa başında vakayiname tetkik edilmez, doğru düzgün vakayiname tetkik etmek için 50 tane yan dalı, yan belgeyi tetkik etmek ve çok esaslı topografik araştırma yapmak gerekir.

Osmanlı'nın kuruluşuna geri dönelim. Yan dallar var mı? Var; Bizans kronikleri var. Onlar epeyce etüt edilmiş vaziyette. Başka yan dallar var mı ya da neler olabilir? Varsa İlhanlılar devri eserleri ve tabii Cenova, Venezia gibi İtalyan devletlerinin kayıtları. Osmanlı tarihi bakımından bunların hiçbiri doğru dürüst araştırılmış değil. Vatikan devlet arşivleri (Papalığın arşivleri), dün-

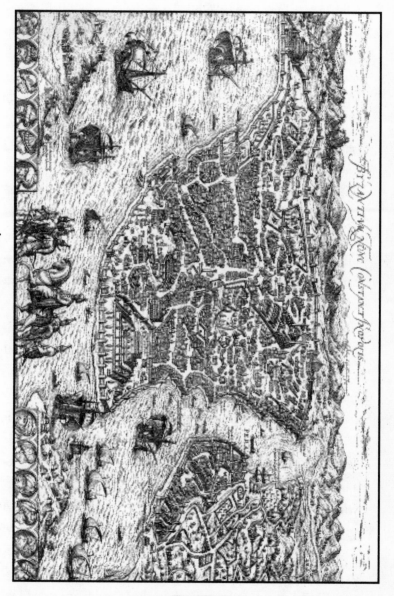

İstanbul, Peter Cook

yanın en eski düzenli arşivleridir ve 1135'ten itibaren düzenli raporları vardır. Ondan evvelki bilgiler fragmanlardır. Hiçbir Türk tarihçisi o devrin Latincesini öğrenip de gidip o arşivleri okuyup araştırmış değil. Türklerin *Dede Korkut Destanı*'nın en iyi versiyonu bile İtalya'da Vatikan kütüphanelerinde bulundu.

Bunlar, maalesef filolojik bakımdan donanımsız, boş konuşmayı seven bir memleketin tarih yazımının hazin görüntüsüdür. Osmanlı İmparatorluğu'nu aşağı yukarı 150'nci yahut 140'ıncı kuruluş yıldönümüne kadarki vesikalardan etüt etmekten aciziz. En eski tahrir defterimiz ve en eski kadı sicillerimiz de gene 15'inci asrın 2'nci yarısına aittir. Daha da tuhaf olanı, en eski tahrir defterimiz, bugünkü Türkiye'ye değil, Arnavutluk'a aittir, yani Fatih Sultan Mehmet devrine. Bunu Halil Hoca neşretmiştir, Halil Hoca'nın böylece Arnavutluk'un milli tarihine yaptığı katkı eşsizdir.

Neticede kendi kaynaklarınız bu kadar, yabancı kaynakların hiçbirini de doğru dürüst etüt etmiş değiliz. Buna maalesef yabancı kolleglerimiz de dâhil. Birkaç meslektaşımız var gerçi; ama bunlar maalesef o eski, kuvvetli ananenin sahibi olacak kişiler değil. Artık ne eski *Menage* var, ne eski *Hammer*. Yeni bir nesil yetişti, bunlar belki yapacak çok şey bulamıyorlar, belki de tıkandılar. Zamanımızın Avrupa münevveri de maalesef iyi yetişmiyor. Eski kuşağı, İkinci Cihan Harbi'nden evvelkileri hatırlıyorum, mesela bizim hocalarımızdan biri daha liseyi bitirdiği zaman, Almanca ve Fransızcanın yanında Yunanca ve Latinceyi de tam biliyordu. Hatta daha dinî ağırlıklı liselerde yetişen bazıları İbranca da öğreniyordu. O nesilde filolojik meleke çok gelişmişti. Bir kelimenin oturmadığını, yanlış anlaşıldığını anladıkları an rahatsız oluyorlardı. Latince, Yunanca, ya da başka dilden metinleri çocukluktan bu yana okuya okuya o kadar rafine, o kadar iyi donanımlılardı. Hiyeroglifleri bulan Champollion, 15-16 yaşındayken Yunanca ve Latincenin dışında Aramca ve İbranca gibi dilleri biliyordu. Biliyordu ki üzerinde üç ayrı dili taşıyan "Rosetta taşındaki" Kobtça metni okudu. Yunanca çevirisinden hareket edip hiyeroglifi çözdü. 40 küsur yaşlık bir ömre sığdırdı bütün bunları. Daha maceraperest insanlardan biri, mesela ünlü Arabistanlı Lawrence, Hitit dönemi kazıları, Arab edebiyatı bilgisi gibi dallar yanında İngilizcedeki en iyi *Iliada* ve *Odiseus* çevirisini yapmıştır.

Neticede bugün Osmanlı tarihçiliği maalesef Şark'ın diğer dallarına göre çok büyük talihsizlik içindedir. Hem memleketin kendi evlatları, hem de onunla uğraşması gereken yabancılar fazla bir katkı sağlamamakta, bu devrin tarihi adına kayda değer adımlar atılmamaktadır.

TÜRKİYE'NİN OLUŞUMU

Göz önüne getirmeyi ihmal ettiğimiz, hatta tasavvur etmekte zorlandığımız çok mühim bir nokta vardır. Bu da Anadolu'nun, XI. asırda Malazgirt'te, İmparator Romanus Diogenes'le yapılan meydan muharebesi sonunda Türkleşmeye başlamasıdır. Daha önce Peçenekler gibi Hıristiyan-Türk kavimler Anadolu'ya yerleşmiştir ve Danişmendli akınları vardır ama bunlar esasa girmez. Anadolu'da Malazgirt'ten önce de bazı Türk akınları olduğu anlaşılıyor, nitekim 1071 bir kesin tarih olmaktan çok, bu olayın adının konduğu bir zirvedir. Demek ki Anadolu, esas itibariyle XI. asır sonlarından itibaren ve XII. asır boyunca Türkleşmiştir. Tabii ki bu konuda kesin tarihler tespit etmek çok zor. Kesin bir şey var ki, biz bazı kaynakları kullanamıyoruz. Türkiye tarihçiliğine ilişkin Gürcü, Ermeni, Bizans, İran ve o asırların İtalyan kaynaklarını, özellikle de Papalık arşivini bilmiyoruz...

Papalığın arşivleri dedik; 1135'ten beri çok düzenli ve zengin bir şekilde tutulmaktadır. Üstelik bu tarihin öncesine dair bölümler ve parçalar da vardır. Bütün bu kaynakların hepsini incelemek, bir arada değerlendirmek, maalesef Türk tarihçiliğinin iktidarı dâhilinde olmamıştır. Hiç unutmayalım ki, bu kaynakların bundan sonra tarihçiliğimize dâhil olmaması için bir sebep yoktur. Yeter ki tarih eğitimimizi ve düşüncemizi buna göre ayarlayalım. Aslında birçok milletin tarihi için yakın Ortaçağ yahut geç Ortaçağ dediğimiz bu dönem, Türkiye'de ancak spekülasyonlarla değerlendirme konusu yapılmaktadır. Türkiye halkı ve aydınları hâlâ bu konuyu, *"Anadolu'ya bir milyonla mı, yoksa üç milyonla mı geldik? Burası ne derece Türkleşti?"* gibi abes yorum ve münakaşalarla ele almaktadır.

Şu gerçeği unutmayalım: XI-XII. asırlar, dünya tarihi ve artık bizim de içinde bulunduğumuz Akdeniz ve Avrupa tarihi için geç devirlerdir. Dolayısıyla Türk vatanının kurulması, Anadolu'nun Türkleştirilmesi oldukça geç bir tarihtir. Bizim gibi vatanını coğrafî göçlerle kuran milletler, anayurtlarının biçimlenmesini ve tarihî kimliklerinin ortaya çıkarılmasını o tarihlerde çoktan tamamlamışlardır. Mesela Fransa o tarihte artık dört asırlık millî ve muasır bir coğrafyanın temelini oluşturmuş sayılabilir. En azından Fransa'yı oluşturan ana unsurlar şekillenmiştir. Almanya ve İspanya için de aynı durum söz konusudur. Gerçi İspanya toprakları VIII. asırda Müslüman Arapların ve Berberilerin eline geçmiştir ama yine de İspanyol halkı ve kimliği bir yere gitmemiş, kaybolmamış, oralarda kalmıştır. Ve bugün İspanya, tarihî gelişimini tamamlamaktadır. Özellikle ülkenin kuzeyi için bu net bir şeydir. Mesela Katalunya, Katalunya olarak biçimlenmiştir ve öyle de devam etmektedir.

Böyle bir gerçeklikte Türklerin tarihî kayıtlarının noksan olması, değerlendirilmemesi söz konusu değildir. Bütün mesele bu kaynakların kullanılması ve değerlendirilmesidir. Türkiye bunu yapamıyorsa, bunun sebebi, nesillerimizin tarih şuurunun eksik olmasıdır. Evet, Türkiye, bir göçle, bir fetihle, sonradan yerleşmeyle vatanını en geç kuran ülkelerin içindedir. Bu bir gerçektir.

Küçük Asya

Anatolia, bilindiği gibi Yunancada "doğu" anlamına gelir. Küçük Asya da, yine Yunanlıların tabiriyle Büyük Asya'nın bir uzantısı manasındadır. Bizse buraya geldiğimizde, bu topraklara 'Roma ülkesi' dedik, 'Roma ülkesi', etnik bir adlandırma değildir. Zaman içinde Diyar-ı Rum'a 'Anadolu' dedik. Ama buraları daha çok Diyar-ı Rum olarak kaldı. Balkanlar'a geçtikten sonra, bu sefer Balkanlar'a 'Rumeli' dedik. Hiç şüphesiz bu da etnik bir tanımlama değildi, Roma ülkesi anlamına gelen bir isimlendirmeydi. 'Balkan' ismi de Türklerin bıraktığı bir coğrafî tabirdir. Bugün bu ismi kaldırmaya çalışıp Balkanlar'a 'Güneydoğu Avrupa' diyorlar. Güneydoğu, ama kime göre güneydoğu? Tabii ki Almanya'ya ve Fransa'ya göre. Bize göre niye Güneydoğu Avrupa olsun ki?

XII. asırda insanlar bizim yurdumuza artık *Türkiye* demektedirler. İtalyan kaynaklarında bunu görüyoruz. Artık kırsal bölgelerin Türkmen göçebeler ve köylüler, şehirlerin ise büyük bir Türk nüfus tarafından doldurulduğu anlaşılıyor. Türkler batıya doğru ilerlemekte, Bizans İmparatorluğu ise artık gerilemektedir. Bilhassa Malazgirt'ten sonra Miryokefalon Savaşı, bu tarihî oluşumun nihaî noktasıdır. XII. asrın sonunda başlayan ve ilk önce Anadolu'dan geçen Haçlı Seferleri dahi bu tarihî hareketliliği ve oluşumu önleyememiştir. Haçlı Seferleri kısa bir müddet sonra güneye kaymış, dördüncüsü 1204'te İstanbul'un istilasıyla yetinmiştir.

Görülmektedir ki Anadolu'nun bu yeni etnik oluşumu, tarihî seyrine devam etmektedir XIV. yüzyılın ikinci yarısından itiba-

Zamanın kültürel dokusunu yansıtan bir kervansaray

ren bugünkü Trakya bölgemiz, kuzey Yunanistan, güney Bulgaristan, doğu Sırbistan, Türk devlet idaresi olan Osmanlı'ya katılacaktır. İşte buradan itibaren Avrupa'daki Türkiye diye bir tarihî mesele ortaya çıkmıştır ve bugün de devam etmektedir.

Avrupa'daki Türkiye

Avrupa'daki Türkiye'ye dair düşünce, tavır ve tutumlar zıt nitelikler göstermektedir. Konuya hayırhah bir şekilde bakanlar olduğu gibi, nötr bakmaya çalışanlar ve halen XIII-XIV. yüzyıldaki kilise ve idare çevrelerinin bakışını paylaşanlar da vardır. 'Avrupa'daki Türkiye' konusu, öyle kolay halledilebilecek bir sorun değildir. Bu konuda içine kapanık, kendine dönük bir kötümserliğe gerek olmadığı gibi safdil bir iyimserliğe de gerek yoktur. Vakıaları olduğu gibi kabul etmeliyiz. Zira coğrafya, itaat edilmesi gereken büyük bir gerçektir.

Anadolu kıtasının Türkleşmesi, Türkiye olması nasıl artık tartışılmıyorsa Balkanlar'ın da tartışılmaması gerekir. Balkanlar'daki nüfusun bu dönemden sonra oralardan sürülmesi, yerlerinden edilmesi mümkün görünmemektedir. En son Todor Jivkov döneminde, Bulgaristan Halk Cumhuriyeti 300 bin Türk'ü bir anda sınırlarının dışına atmış; Edirne'de sınır kapısının önüne yığarak, 'Gelin, halkınızı alın' demiştir. Nitekim aldık da. İlk önce bazı sıkıntılar çekilse de Türkiye'nin dinamik sınaî ve kentsel yapısı; bu Osmanlı tebaası Türkleri çok çabuk içine alabildi. Aslında buna ihtiyacımız da vardı. Hastanelerimiz oradan gelen sağlık personeline, dükkânlarımız oradan gelen zanaatkâra, sanayimiz oradan gelen ustalara ve teknisyenlere muhtaçtı. Zira değişen bir yapı vardı; 1940'lar, 50'ler Türkiyesi'nin değişen, patlama gösteren tarımsal yapısı, tarım yapan insanlara ihtiyaç duymuş ve Türkiye, sayısı 100-200 binle ifade edilen Balkan göçmenini bağrına basabilmişti. Şüphesiz ki bu tür dalgalar büyük sıkıntı yaratır. Ancak bugün tarihçi gözüyle baktığımızda, Türkiye'nin bu gibi göçleri birçok ülkeye göre daha ustalıkla karşıladığını söyleyebiliriz.

Evet, Avrupa'daki Türkiye'nin oluşumu bitmiştir. XIX. yüzyılın sonlarında sınırlar artık tespit edilmiştir. Bu tarihten itibaren Osmanlı İmparatorluğu, Avrupa'daki topraklarını geri vermiştir. Kuruluşundan iki yüzyıl sonra Macaristan'a, Tuna'ya yerleşen bir imparatorluk, bu tarihi takip eden 2-3 asır içinde bu toprakları kaybetmiştir. Ama şu da bir gerçektir ki; dört asrı, bazı yerlerde ise beş, beş buçuk asrı bulan Osmanlı hâkimiyeti, Avrupa kıtasının orta ve güneydoğu kısımlarına, hatta kuzeye doğru gelişen bölümlerine damgasını vurmuştur.

Osmanlı'da çarşı

Balkanların her köşesinde Osmanlı izleriyle karşılaşmanız mümkündür. Mesela Bulgaristan bölgesine baktığınızda Mithat Paşa gibi büyük bir valinin varlığını ve icraatını anlarsınız. Bunlar, Bizans denen Doğu Roma'dan sonra Balkanların tekrar bir imparatorluk, bir siyasî-askerî birlik halinde bütünleştiğini gösteren delillerdir. Doğru, Osmanlı, askerî bir imparatorluktur. Ama askerî amaçlarla kurduğu tesisler, iktisadî anlamda da önemli olmuştur. Çünkü imparatorluk askerî gelişmeleri ve yeni teknikleri anında uyarlamak zorundaydı, zira yaşamı buna bağlıydı. Bunları uyarlayabildiği için de, Yeniçağ imparatorluklarına ve dünya şartlarına uyum sağlayan bir eski imparatorluk düzeni kurabilmiştir. XX. yüzyılda demiryolundan ve modern eğitimden istifade edebilmiş, mühendisliği ve tıbbı kendine göre geliştirmiş; bu sayede XXI. yüzyıla hazırlanabilmiştir.

Osmanlı İmparator-luğu'nun temel unsuru Türklerdir, dili Türkçedir, ordusu Türk dilini kullanmayı ve bu karakteri benimsemeyi sürdürmüştür. Devşirme dediğimiz sistemle ordunun sadece çekirdek kısmına asker temin edilmiştir. Bürokrasi için de aynı durum geçerlidir.

Türk tarihçiler, insanların devşirme usulüyle Türkleştirilmesindeki sürat ve yoğunluğu incelemiş değildir. Bunu daha çok yabancı tarihçiler ve Balkanlılar incelemiştir. Sırplı tarihçi Radovan Samarcic'in ifade ettiği gibi; uzak dağlardan, ücra köylerden toplanan bu Hıristiyan çocuklar, çocukluklarında kendilerine öğretilmiş bazı dua, deyim ve atasözlerinin kalıntılarını hep taşımışlardır. Çocukluklarından getirdikleri bu izler, sonradan öğrendikleri dil içinde farklı bir renk olarak bulunmuştur. Türk evlerine verilerek kendilerine din ve dil öğretilmiş, acemioğlan olarak yetiştirilmişlerdir. Yönetici olup üst sınıfı teşkil etmek üzere alınanlar ise, Enderun mektebinde, imparatorluğun kültürüne ve ideolojisine göre yetiştirilmişlerdir.

Var Olanın Üzerine İnşa

Osmanlı İmparatorluğu'nun Batı'daki ilerlemesi üç safhada olmuştur. Birinci safhada bugünkü anavatanımız kurulmuştur. Bu aşamada, hem Türklerin etnik bakımdan yerleşmesi, hem de nüfusun dinî müessese ve tasavvufî hareketlerle İslamlaştırılması ve Türkleştirilmesi söz konusudur. Asıl önemlisi, memleketin alt yapısı, İran kıtası ile bağlantıyı sağlayacak şekilde hazırlanmıştır. İşte muhteşem kervansaraylar ve ticaret yolu! İşte Eski Roma sistemini kullanan ama yenisini de geliştiren bir su sevk ve dağıtım sistemi! Doğrudur, kentler bir restorasyona dayanmaktadır. Mesela Karaman'daki Ermenek, Bursa'daki Yenişehir gibi bir iki belirgin merkez dışında tamamen yeni kurulmuş bir yapı yoktur, buna gerek de yoktur. Çünkü coğrafya, yeni gelenin eskilerden

Bursa Ulu Cami

öğrenmesi gereken bir bilgidir. Şehrin, coğrafyanın neresinde ve nasıl kurulacağını eskiler çok daha iyi bilirler. Mühim olan; bin, iki bin, üç bin yıldır var olan yerleşim merkezlerine intibak etmeyi bilmektir. Yine şehirlerin suyu, iaşesi, yollarının emniyeti, yol güzergâhlarının tespiti bakımından da eski kuruluşlara, eski alt yapıya itaat etmeyi bilmek, onu kollamak, sadece zarafet açısından değil teknik olarak da ehemmiyet arz eden bir şeydir. Bu durum, Anadolu'daki şehirleşmede ve yerleşmede en mühim unsur olmuştur.

Türklerin Avrupa'daki hâkimiyetinin çözülüşü açısından, hiç şüphesiz ki II. Viyana Kuşatması sonrası dönem, önemli bir başlangıç noktasıdır. Hıristiyanların çoğunluk olduğu vilayetlerin kaybından sonra; 1774'ten, 1783'ten itibaren imparatorluğun Müslüman ve Türk eyaletlerinin de kaybıyla, bu çözülüş yeni bir safhaya girmiştir. Hayatımız, idarî ıslahat anlayışımız, var oluş kavgamız başka bir safhada seyretmiştir. Nihayet XIX. yüzyılın sonundan itibaren, bilhassa Rumeli'deki vatan topraklarının kaybıyla, Türk İmparatorluğu'nun parçalanması süreci başlamış, bu durum gittikçe belirginleşmiştir. Bunların üzerinde ayrıca durmak gerekiyor. Zira bugünkü Türkiye'nin yaşadığı problemleri anlamak, o dönemi bilmekle ilgilidir.

HAÇLI SEFERLERİ

İnsanlık tarihinde Haçlı Seferleri hiç şüphesiz çok önemlidir. Önemi, bazen çarpıtılan yorumlara konu olmasından da ileri gelir. Çok uzun bir zaman Haçlılık, Avrupa'nın iktisadî ve kültürel yayılmasının bir tezahürü olarak gösterilmiştir. Kimi çevrelerde ise, tamamen karanlık bir girişim olarak okunur. İslam dünyasında da hiçbir zaman hamasetin ötesinde incelenmiş bir konu değildir. Mesela bu konuda Arap ve Türk kaynakları ne diyor? Doğrusu, ikinci grup çok şey söylemiyor. Acaba Bizans kaynakları ne diyor? Son zamanlarda bu kaynaklar merakla okunmaya başlanmıştır.

Haçlı Seferleri'nin amacı hiç şüphesiz İslam dünyasıdır. Maksat, Kudüs'ü 'kurtarmak'tır. Ancak bu kurtarıcılığın arkasında çok daha hırslı bir amaç vardır. O da Akdeniz'in en parlak ve zengin kenti olan İstanbul'dur. Yani Haçlılar Hıristiyan kardeşlerinin başkentine göz dikmişlerdir, Roma İmparatorluğu'nu yeniden diriltme emelindedirler. Bu nedenledir ki Batı Avrupa'daki Roma–Germen İmparatorluğu, Haçlı Seferleri'ni düzenleyenlerin başında yer alır. Bu seferlerin en önemlileri, I. ve II. Haçlı Seferleridir. İlk Haçlı Seferleri'ne katılanlar, Macaristan Krallığı'na girer girmez şehirleri yağmalamaya başlamış ve 4 bin civarında insanı katletmişlerdir. Aynı kalabalık Bizans topraklarına girdiğinde, İmparator kendilerine, *"Herhangi bir yerde üç günden fazla durmazsanız sizi beslerim, aksi takdirde hiçbir şey alamazsınız"* demek zorunda kalmıştır. Çünkü gelenler, durdukları yeri yağmalamaktadırlar. Üstelik kendi din kardeşlerinin şehir ve köylerinde de katliam yapmaktadırlar.

Haçlı Seferleri'nin en trajik ve utanç vericisi dördüncüsüdür. 1182 ve 1185 tarihlerinde İstanbul'daki yerli halkın, Pera'da -bugünkü Galata'da- yaşayan Venediklilere karşı husumeti bir ayaklanmaya dönüşmüş, ufak çapta bir katliam ve yağmalama görülmüştü. Venedik bunun intikamını almakta gecikmedi. Haçlı Seferleri'ni Kudüs'ten çok, zengin şehir Konstantinopolis'e yöneltmeyi iş edindi.

Haçlılar o zamanki İmparator Isaac Angelos'un zaafından da istifade ederek bir tür hile ile şehre girdiler. Büyük bir dram yaşanmaya başladı. Daha önce tahtından edilen ve gözlerine mil çekilen İmparator Alexios'un küçük oğlu da, imparatorluk memurlarından birinin ihaneti ve işbirliği sonucu ortadan kaldırılınca Haçlılar şehre girmekte gecikmediler. Dünyanın en parlak şehri, 1204 yılının 12 Nisan'ından itibaren 50 yılı aşan bir süre karanlık bir dönemin içine girdi.

Yapılanları anlatmak çok zordur. Sultanahmet Meydanı'ndaki, Mısır'dan getirilen hakiki dikilitaşın yanında, İmparator Konstantin Porfirogenetos zamanında dikilen bir taş örme sütun daha vardı. Bunun etrafı pirinçle kaplanmıştı ki güneş gördükçe altın gibi parlardı. Haçlı sürüleri bunu altın sanarak söktüler. Şehirde yağmalanmadık eski eser kalmadı, insanların ırzı

Ayasofya

çiğnendi, kadınlar ve çocuklar öldürülüp sokaklara yığıldı. Bu faciayı bizzat yaşayan, sonradan kaçmak zorunda kalan çağın Bizans tarihçisi Niketas Konyatis olanları bütün dehşetiyle anlatır.

Ortodoks ve Katolik dünyası arasındaki nefret ve çekişme de bundan sonra daha çok pekişmiştir. Yoksa İstanbul'daki Patrik ile Roma'daki Papa arasında 10. asırda yaşanan teolojik münakaşalar kitleleri fazla ilgilendirmezdi. İşin içine kan girince durum değişti. O gün Doğu medeniyetinin en önemli parçası yağmalandı. Ayasofya gibi bir mabet bile bu yağmadan nasibini aldı ve rezilane eğlencelerle manen kirletildi.

Haçlı Seferleri'nin bu safhası, İstanbul'un yağması için Işın Demirkent'in *Haçlı Seferleri* başlıklı kitabına bakılmalı. Kitapta, yağmalanarak İstanbul'dan Batı'ya taşınan mukaddes emanetler ve heykellerden söz edilmektedir. Venedik San Marco Meydanı'ndaki dörtlü tunç heykeller, o günkü yağmada çalınan sanat eserlerindendir. Bunun benzeri nice değerli eser, yurt dışındaki saray ve müzelerde karşımıza çıkabiliyor.

Bu seferle Ortodoks elit şehirden atıldı. İmparator ailesinden Komnenoslar, Trabzon'a sığındılar. İki küçük imparator adayı, teyzeleri Gürcistan Kraliçesi'nin yardımıyla Trabzon'da Pontus İmparatorluğu'nu kurdular. Bilindiği gibi bu devlet, Fatih'in 1461'deki fethine kadar yaşamaya devam etti. Bu yağmayla birlikte ikinci bir grup olarak Laskarisler hanedanı da İznik'e çekildi, orada parlak ve küçük bir Bizans devleti kuruldu.

Haçlı Seferleri'nin muvaffakiyetini önleyen unsurlardan biri, Nurettin Zengi'nin yanında yetişmiş olan Selahaddin-i Eyyubi gibi büyük bir komutandır. Eyyubi, dört sene gibi kısa bir sürede, (1185–89) Urfa, Antakya ve Kudüs'te kurulan kontluk ve krallığı ortadan kaldırmaya muvaffak olmuştur. Fakat Haçlılara asıl darbeyi vuranlar, Ayn-ı Callut'ta Moğolları yenen Memluklardır. 1269'da Sultan Baybars, Moğollar gibi bir kuvveti durdurmaya muvaffak olmuştur. Bu sefer de, 1291'de onun evlatları, Haçlıları bu topraklardan sürebilmiştir.

Haçlılar ve yerel halk

Evvela şunun üzerinde ısrarla durmak gerekir: İddia edildiğinin aksine, Batı ile Doğu arasındaki kültürel ilişkilere fazla vurgu yapmamamız lazımdır. Çünkü zamanın Arap tarihçileri, Haçlılarla yerli Müslüman ve Hıristiyanlar arasında bir ilişki olduğundan pek bahsetmiyorlar. Vakıa Tirli Gregor gibi, yerli Haçlı diyeceğimiz bir tarihçi, Doğulularla kaynaştıklarını iddia ediyorsa da bu basit bir temenniden öte bir şey değildir.

Müteveffa İsrailli tarihçi Joshua Prower -ki kendisi Alman-Polonya ekolünde yetişmiş, mütebahhir bir Ortaçağ tarihçisidir- Haçlı Krallığı üzerindeki eserinde çarpıcı gerçekleri ortaya koymuştur. Mesela bunlar çocuklarını Avrupa'da okutmaya devam etmişlerdir. Doğudaki ünlü medreselerin hiçbiri onları çekmemiştir. Gündelik âdetleri bile değişmemiştir. Mesela o sıcak iklime rağmen, hamama girmemeye devam etmişler, bölgenin ipekli ve pamuklu kumaşlarını kullanma gibi âdetlere uymamışlardır.

Yerli Müslümanlarla ilişkileri çok kötü olduğu gibi, Hıristiyanlarla da iyi geçinmemişlerdir. Haçlıların geçinebildikleri tek Hıristiyan grup, Lübnan'da yaşayan ve o tarihte Katolik inancına bağlı olmayan Marunîlerdir. Marunîler Haçlılarla iyi geçinen tek grup oldukları için, diğer Doğu Hıristiyanlarının nefretini kazanmışlardır. Bilindiği üzere bir müddet sonra Lübnan Marunîleri Batı kilisesine tabi olmuştur.

Üzerinde asıl durulacak şey, bunların kurmak istedikleri toprak düzenidir. Bu toprak ve vergi düzeni kimseyi memnun etmemiştir. Gayrimüslimlerden alınan cizye vergisini kaldırmadıkları gibi, bunu Müslümanlara da tatbik etmişlerdir. Dolayısıyla burada Avrupalıların mevcut halkı sömürmesi gibi bir vakıa ortaya çıkmıştır. Bu yüzdendir ki yerli halk, Müslüman emirlerle ilişkisine devam etmiştir.

Haçlıların Doğu'daki unsurlardan mimarî olarak neyi kazanıp neyi götürdükleri de tartışılır. Civardaki eski eserlerin tahribine dayanan muazzam kaleler kurmuşlardır. Bunlardan bazıları, eski Roma tipi garnizon merkezlerinin tamirine dayanmaktadır. Bugün bunlar ziyaret edilir, edilebilir, edilmelidir. Tabii bilmiyoruz, Akka Kalesi, civardaki kaç eski eserin ortadan kaldırılmasıyla ortaya çıktı? Suriye'deki el-Rusafa, İmparator Friedrich Barbarossa'nın boğulduğu Silifke çayı civarındaki kale, Bodrum Kalesi bu dönemden sonra inşa edilmişlerdir. Çünkü Haçlılar Akdeniz'den çekildikten sonra da Kıbrıs'ta, Akdeniz adalarında, Rodos'ta, Bodrum'da yaşamaya devam ettiler. Sonra Malta'ya yerleştiler. İşin ilginç tarafı; bu zevatın uzantıları, Baltık bölgesinde silahlı şövalyeler tarikatı kurarak o bölge halklarına hücum edip topraklarını idare etmeye kalktı. Nihayet bunlar, ilk büyük darbeyi *Alexander Nevski* isimli ünlü Rus hükümdardan yediler. Tarihî Rusya'nın kuruluşu da bu zaferden sonra ortaya çıktı.

Haçlı Seferleri ne gibi etkiler bıraktı?

Haçlıların Türkleşen Anadolu'yu geri almaları mümkün görünmüyordu. Bu onlar için bir asır evvel, Miryokefalon Savaşı ile bitmiş, Türkler arasında ehl-i salib zihniyetine karşı bir uyanıklık başlamıştı. Bu dünya, Avrupa'nın gelişen siyasî ve iktisadî hegemonisine karşı, bir nevi ehl-i İslam cihadından söz ediyordu.

Selçukluların, başlangıçta Haçlıları fazla ciddiye almadığı görülmektedir. Anadolu yakasında Haçlılarla ilk mücadele eden kişi, II. Kılıçaslan'dır. Buralarda Haçlı Seferleri tarihî bir motif olarak kullanılmaktadır.

Ortodoks dünyasında, Rusya'da ve bu yıkıma maruz kalan Hellen dünyasında Haçlılık ve Katolisizm, cahil halka kadar inen bir Batı nefreti yaratmıştır. Mesela Yunanlılar, hâlen bu dünyaya soğuk bakarlar. İşte Yunanistan, Avrupa Birliği'ne girmiş, orada hürmet görüyor; buna rağmen sıradan Yunanlı vatandaş ve din adamı, Batı kilisesine karşı şüpheler besler. Bu görülebilen bir şeydir. Bu şüphe ve nefret, denilebilir ki Doğu kilisesinin merkezî noktası sayılabilecek bir şeydir. Bu durum, Rusya'da ve Slavlar arasında daha da yaygındır.

Hiç şüphesiz ki Avrupa da aydınlanma felsefesine yaslanarak, Haçlı Seferleri'ni pozitivist bir yaşayışın düşmanı olarak görmüştür. Bu olayla kuvvetlenen bir Hıristiyanlıktan söz edilmiştir. Bunun tarihî kalıntıları da olmuştur. Haçlıların Kudüs'te giydikleri krallık tacı, Kudüs elden düştükten sonra da bünyelerinde kalmıştır. Bazı Avrupa hükümdarlarının, mesela Mukaddes Roma-Germen İmparatoru'nun 'Kudüs Kralı' gibi boş bir unvanı vardır, bunlar tarihî kalıntılardır.

Haçlılık, Endülüs'te, Güney İtalya'da, Sicilya'da gerilemeye başlayan, Girit'i ve Antakya'yı kaptıran Müslümanlığın yediği son darbedir. Buradan sonra, Ortadoğu'da yeni bir kuvvet olan Türkler, Haçlı Seferleri'nin yarattığı dağıtıcı ve bozguncu havayı düzeltmek için yeni bir fütuhata ve direnişe geçeceklerdir. Onun içindir ki XIII. asırdan sonra bütün Ortadoğu'da bir Türk ağırlığı hissedilmeye başlanmıştır.

Daha sonra, XV. asırda Granada düşer ve Kurtuba elden çıkar. Bu, Endülüs'teki Müslüman hâkimiyetinin sona ermesi anlamına gelir, ki üç dine de mensup insanın birlikte yaşayıp üretebildiği Endülüs'ün elden çıkması, beşeriyetin ortak tarihi bakımından büyük bir kayıptır.

ANADOLU'DA OSMANLI HÂKİMİYETİ

Osmanlı ilerlemesinin en kritik, en eleştirel noktalarından biri Yavuz Sultan Selim Han'ın savaşlarıdır. Bunun üzerinde biraz durmamız gerekiyor: İmparatorluğun doğuya doğru ilerlemesinde iki tane savaş, çok önemli bir rol oynamaktadır. İlki Otlukbeli Savaşı'dır.

Malazgirt'ten üç asır sonra, 11 Ağustos 1473'te Erzincan civarında Otlukbeli mevkiinde Akkoyunlu hükümdarı Uzun Hasan'ı yenen Fatih Sultan Mehmed, Doğu Anadolu bölgesinin bugüne kadar uzanan kaderini çizmiş oldu. Türkmen aşiretler Doğu'ya, İran'a çekildiler ve Doğu Anadolu'nun yeni oluşan etnik yapısı XX. yüzyılın başına kadar devam etti.

Osmanlı edebiyatında Akkoyunlu Uzun Hasan'a "Hasan Padişah" denir. Onun Doğu Anadolu toprak düzeni için çıkardığı kanunnameler hemen hemen olduğu gibi kabul edilmiştir. "Hasan Padişah" teşkilatçılığı ve meşruiyyeti tasdik edilmiş bir hükümdardır. Ancak Otlukbeli Savaşı da son derece önemlidir; çünkü Otlukbeli, iki Türkmen devleti arasında geçmiş bir kavgadır. Bu Türkmen devletlerinden bir tanesi, Türkmenliğin bütün ananesini, teknolojisini, askerî ve idarî yapısını devam ettiriyor.

Öbürü ise, yeni çağların Rönesansı'nın askerî tekniklerini almış, uyarlamış, uygulamış bir kuvvettir.

Uzun Hasan, bilindiği gibi Trabzon Komnen hanedanının torunudur. Bizans İmparatorluğu ailesinin, dolayısıyla Gürcü hükümdarlarının kanını taşır. Bu soy, ilerde Şah İsmail'in şahsında etkisini gösterecektir. Şah İsmail Safevi, Uzun Hasan ile Erdebilli Şeyhler'in çocuğudur. Bunlar, Ehli Beyt'e mensup, emperyal ailelerdir. Safevilerin askerleri fevkalade iyi savaşan, inanmış bir kitledir. Peki niye yeniliyorlar? Yeniliyorlar, çünkü Safeviler devlet olarak teşkilatlanmaya çalışıyorlar. Bunun için dini ve ideolojiyi kullanıyorlar. Şiiliği ilk defa bir resmî din ilan ediyorlar. Böyle bir mezhep her zaman varlığını sürdürmüştür; ancak devletin resmî dini ilan edilmesi ilktir. Ama bu hareketlerden hiçbiri Osmanlı'nın karşısında duramamıştır, bu önemlidir.

Memluklar karşısındaki zafer de aynı şekilde açıklanır. Memluk devleti ve askerî yapısı yabana atılmamalıdır. Hulagu'nun kan içici fakat ok gibi ordularını, Moğollar'ı durduranlar Memluklardır. Böyle savaşçı bir geleneği olan, Çerkez ve Türk asıllı idarenin hükmettiği bu Mısır devletini, Yavuz Sultan Selim Ridaniye'de ve Mercidabık'ta nasıl ortadan kaldırıyor? Doğrudan doğruya üstün askerî bir teknoloji ile...

Unutmayalım ki, Birinci Cihan Harbi'nin çetin günlerinde romantik Kanal Seferi'ne çıkan Cemal Paşa, Sina Çölü'nü, Yavuz Sultan Selim kadar kolay ve kayıpsız geçemedi, çok kayıp verdi. Mevsimi ayarlayamadı; kum fırtınası zamanıydı. Kum gözlükleri olmadığı için askerlerimizin bir kısmı kör oldu, susuzluk çekti. Muharebelerin teşkilatlanması ve stratejisi de toptan bir hataydı. Yavuz Sultan Selim ise, o asrın en üstün teknolojisiyle donandığı ve coğrafyayı, iklimi öğrendiği, hesapladığı için çölü çok daha rahat ve başarılı bir şekilde geçti. Mısır Seferi, Osmanlı askerî teknolojisinin ama bunun yanında çevre bilgisinin de gelişmişliğini göstermektedir. O dönemde Osmanlı, askerî teknoloji bakımından bir Rönesans devletidir.

Burada ikinci bir unsur, Çaldıran Savaşı ve 1473 Otlukbeli İran-Osmanlı çatışmasıdır. İran-Osmanlı çatışması, bizim bugünkü İran-Türk gerilimine benzemez. Zira iki tarafta da Türkler yer almaktadır. İran'ı idare edenler, Türkmen Oğuzlardır. Osmanlı tarafındaysa esas itibariyle saf Türkmenlik söz konusudur; ama devşirmelik yeni bir güç yaratmıştır. Burada doğrudan doğruya iki tane devletin çatışması vardır. Anadolu'ya ve Suriye'ye hükmeden kuvvet, İran'la çatışmak zorundadır. Romalıların burada ne kadar zorluk ve kayıp vererek çatıştığı malum; İkinci Roma (Bizans) da öyle. Osmanlı–İran çatışmasında da böyle olmuştur.

Bazı tarihçilerimiz bugün; "*O devirde Türklük ve Osmanlılık yoktu*" diyorlar. Bunlar aslında bugünün yorumları ve sınıflandırmalarıdır, XV. asırla pek alakası yoktur. Şah İsmail şiir yazardı, hakikaten büyük bir şairdi. Türk edebiyatının hürmet edilecek büyüklerinden biridir. Aruz vezniyle tertemiz şiirler yazmıştır. Bu tertemiz şiirlerin yazılışında, gördüğü terbiye kadar, propagandanın da rolü vardır. Zira o, Türkmenlerin padişahıdır; herkes şiirini söyleyebilmeli, tekrarlayabilmeli ve anlayabilmelidir kaygısını taşır. Yavuz Sultan Selim'in şairliğindeyse böyle bir kaygı yoktur. O, İran kültürüyle yetişmiş bir Türk hükümdarı olarak Farsçayı çok sevmektedir. Divanı da öyledir. Herkes şiirde millî dili bütün sadeliğiyle kullanmak zorunda değildir. Şiir, şairin işidir. Şair bir sanatçıdır, onun özgürlüğüne saygı duyarız.

Burada ısrarla bir şeyin üzerinde durmalıyız: Osmanlı Suriyesi; Filistin'i, Lübnan'ı, Antakya'yı ve Şam'ı içerir. Roma devrinde Antakya, bundan kopuk bir parçadır. Bugün olduğu gibi, Araplar diğer kısımlara "Bilad'uş Şam" derler. Şam demek, sadece Şam vilayeti değildir; Haleb dışarıda olmak şartıyla bütün Suriye'dir. Antep ve Urfa, Haleb'in ayrılmaz parçalarıdırlar. Nitekim Osmanlı döneminde de, daha önceki imparatorluklar zamanında da Haleb ile bu kısım bitişiktir. Bu bölgelerin etnik yapısı çok farklıdır.

Haleb tıpkı güney vilayetlerimiz Antep ve Kilis gibi Türkmenlerin yönetiminde, onların hâkim olduğu bir bölgedir. Orada Türkmenlerin mutfağı ve kültürü hâkimdir. Çok yakın zamana kadar da bu böyle olmuştur. Araplaşma faaliyeti geç sonuçlanmış, belki de tamamlanamamıştır. Tipik Suriye'yi Lübnan ile ve Ürdün'ün bir kısmıyla düşünmek gerekir, bu ayrı bir bölgedir. Bugünkü Arap siyasî coğrafyası, bu tarihin kültürel realitelerine pek uymaz. Biraz da cetvelle çizilmiş bir sınır yapısı söz konusudur. Bunları her türlü siyasetin dışında, tarihî realite olarak ele almak ve bilmek gerekmektedir.

Yavuz Sultan Selim Han gibi, 24 yıl Trabzon vilayetini yönetmiş, şehzade olarak idarî ve askerî bütün marifetini göstermiş, Gürcistan'a seferler yapmış, bölgeyi çok iyi tanıyan ve orada çok iyi tanınan biri, bu bölgeyi ancak 8 yıl yönetebilmiştir. Bu 8 yılın içinde, bugünkü Güneydoğu Anadolu'yu, Doğu Anadolu'yu, Suriye'yi, Lübnan'ı, Filistin'i, Mısır'ı ve Hicaz'ı imparatorluğun coğrafyasına katmıştır. Bu çok büyük bir parçadır.

Karşımızda çok önemli bir mareşal vardır: Osmanlı ilerleyişi, Yavuz Sultan Selim gibi bir askerî dehanın, Rönesans tipi bir askerî teknolojinin ürünüdür. Bunu bilmek gerekiyor. Övünmek için söylemiyoruz, ama bu böyledir. Bu bir sanattır ve Osmanlı da bu sanatı bilmektedir.

İki sene içinde ele geçirilen bu bölge, 4 asır boyunca imparatorlukta kaldı. 1917'de, İngilizlerin ilerleyen orduları karşısında I. Cihan Harbi'nin mağlubu olarak buraları terk ettik. I. Cihan Harbi'ne girmeseydik, o hengâmenin içinde o hataları tekrarlamasaydık, bu bölgeler daha bir süre bizde kalacaktı. Çünkü Balkanlar'ın aksine, buradaki ulusçuluk o derece örgütlü ve silahlı değildi. Çok ilginçtir, bu bölgeler, merkezî hükümetin politikalarıyla, iktisadî, siyasî, içtimaî sistemiyle Balkanlar kadar iç içe olmamıştır. Bunu bilmekte fayda vardır. Ancak Kanuni Sultan Süleyman devrinde ve sonraki asırlarda, burada bir Osmanlı mimarisi görülmeye başlar.

Kanuni devrinden niye *imparatorluk* diye bahsediyoruz? Çünkü onun devrinde imparatorluğun vasıfları görülür; mesela XV. asır boyunca mimariye bakılırsa, birtakım camilerde yerel özelliklerin hâkim olduğu fark edilir. Mesela o asırlarda yapılan Üsküdar'daki Rum Mehmet Paşa Camii veya Atina'daki camilerimiz böyledir. Kanuni devrinde ise bütün bir mimari tek elden çıkmış gibidir. Tırhala'ya, Vidin'e, Haleb'e, Şam'a gidin; Trakya'daki camilere, Ankara'daki Cenabî Ahmet Paşa Camii'ne bakın, aynı tarzı göreceksiniz. Bu, Büyük Sinan'ın ve onun çıraklarının damgasını taşıyan bir mimaridir. XVI. yüzyılda artık karşımızda bir Osmanlılık vardır. Sadece askerleriyle ve kanunlarıyla değil, mimarisi ve sanatıyla da vardır. Bu Karlofça'ya kadar devam eder.

Tarihi, antlaşmalarla ve harplerle belirleyip bölümlemek, her zaman isabetli değildir. Ama tarihçimiz için Karlofça büyük bir dönüm noktasıdır diyebiliriz. Bu dönemde Osmanlı, hukukî açıdan, uluslararası ilişkiler açısından kendini değiştirir. Romanist bir sistem içine girer. Uluslararası alanda devletler sistemine ve

Grotius Hukuku'na geçmektedir artık. Bu ne Hıristiyan hukuk anlayışıdır ne de Müslüman... Klasik Roma hukuk anlayışının ürünüdür. Osmanlı, iktisadî bakımdan da yeni ilişkiler içine girmekte, ağır bir şekilde toprak kaybetmektedir. Yenilmenin, durulmanın izleri artık görülmeye başlanmıştır.

OSMANLI'NIN BALKAN FÜTUHATI

Osmanlı Devleti, Balkanlar'da fethettiği yerlerde köylülerin ve şehirli esnafın vergilerini azalttı. Klasik Roma İmparatorluğu'nda olduğu gibi, bu bölgede de devletin tekeline girdikten sonra ticaret yolları gelişti. Öncesinde Balkanlar'da bu anlamda bir gelişme yoktu. Osmanlı'nın geçişinden sonra nehirlerin üzerine köprüler yapıldı. Ivo Andriç, "Drina Köprüsü" [Na Drini Cuprija] adlı romanında bunu veciz bir şekilde anlatır.

Bu gibi tesislerin ve kervansarayların yanında askerî amaçlar dolayısıyla da yollara önem verildi. Bu yollar sebebiyle Balkanlar'da ticarette, ziraat ve hayvancılık ürünlerinde gelişme meydana geldi. Bu çok önemli bir şeydir. Ünlü Bulgar tarihçisi Nikolai Todorov, "Balkan Şehri" [Balkanski Gorod] isimli eserinde bunu çok iyi ifade etmektedir.

Anadolu'nun geri kalmasına sebep olsa da, geçen asırlar içinde Rumeli'ye daha fazla yatırım yapılmıştır. Bu ne zamana kadar sürmüştür? XIX. asırda Balkanlar'daki toprak kaybına kadar bu böyle devam etmiştir, ki bu devir Sultan II. Abdülhamit dönemine rastlar.

Osmanlılık, Katolisizm karşısında gerileyen Ortodoksluğun desteklenmesidir; Sırplar karşısında eriyip dağlara çekilen Arnavutlar'ın desteklenmesi ve tekrar Kosova'ya yerleştirilmesi demektir. Osmanlılık, vergi ve angaryayla ezilen köylülerin bir süre için rahat bırakılması demektir. Osmanlılık, büyük feodallerin Balkanlar'da ortadan kaldırılıp, küçük feodallerin toplumla bütünleşmesine fırsat tanınması demektir. Osmanlılık, İtalyan şehirlerinin kendi aralarındaki Doğu Akdeniz rekabetinden istifade etmek demektir. Nihayet Osmanlılık, değişik dinlere ve dillere fırsat verilip, bunların birbirine karşı kullanılması demektir. İşte bunlar Osmanlı'nın ilerlemesinde çok önemli unsurlar olmuştur.

Osmanlı ve Heterodoksi

Şimdi burada, akla bazı sorular gelmektedir. Rum kilisesine ve Musevi cemaatlerine gösterilen hoşgörü veya destek, farklı Müslüman gruplara ve İslam yorumlarına niçin gösterilmemiştir? Burada farklılıktan kastedilen, bugün yanlış bildiğimiz heterodoksi kavramıyla anlatılan şeydir.

Heterodoksi ile; Rafizî diye tanımladığımız birtakım mezhepler, tarikatlar ve cemaatler kastediliyor. Devletin bekası adına bunlar ezilmektedir. Bu konuda çok şeyi yanlış biliyoruz. Mesela Şeyh Bedrettin... Resmedildiği gibi bir Şeyh Bedrettin'in olduğu şüphelidir. Unutmayalım ki Şeyh Bedrettin, Emir Musa'nın kazaskeridir, çok önemli bir hukuk adamıdır. Çok zıt kararlar alması, zıt bir hukukî sistem kurması, mülkiyeti reddetmesi söz konusu değildir. Öyle bir şey görünmüyor. *Varidat* isimli eserinin şüphe ile karşılanması gerektiğini, dinler tarihi konusunda otorite olan Profesör Ahmet Yaşar Ocak ileri sürüyor.

Devletin o günlerde dinî hürriyete, değişik dinî yorumlara, mezhep farklılıklarına tahammül etmesi mümkün değildir. Çatışmalı durum kanla bastırılmıştır. Demek ki devlet, tanıdığı Hıristiyan cemaatler, mezhepler, Müslümanlar ve Museviler dışındaki gruplara karşı son derece teyakkuz içindedir. Anadolu'daki Türk devleti, XII. asırdan beri bu gibi sistem dışı dinî hareketlere son derece kuşkuyla bakmaktadır. Bu bir gerçektir, çünkü burada devlet hayatı ön plandadır. Bununla birlikte siyasî harekete kalkışmayan, malî protestolara girmeyen bir dinî hareketin sert bir karşılık görmesi de söz konusu olmamıştır. Mesela Hurufiler... Heterodoks olarak tanımlayabileceğimiz bir mezhep olmalarına rağmen, uzun zaman takibe uğramamışlardır. Hatta Fatih Sultan Mehmet'in bunlara sempatiyle yaklaştığı ileri sürülmektedir. Ne zaman ki devletin içine sızmaya başlamışlardır, işte o zaman Sadrazam Mahmut Paşa buna dayanamamış, Hurufilerî toplayıp yaktırmıştır. Bu ceza da İslam'dan hareketle verilmiş değildir. Hurufiler, büyücü olarak değerlendirilip cezalandırılmışlardır. Sadrazam Mahmut Paşa, aslında İslamî terbiye ve bilgi açısından iyi bir devlet adamıdır, ancak eski bir Hıristiyan ve ruhban ailesinden gelmektedir. Hurufilere karşı uyguladığı sert ceza, herhalde buradan ileri gelmektedir.

Evet, Osmanlı Devleti'nde, İslam'ın dışındaki hareketlere karşı bir kuşku vardır. Bunun sebebi nedir? Mesela XVI. asırdan itibaren var olan Dürzîler'e bakalım. Dürzîler bugün de Lübnan, Suriye ve İsrail'de yaşıyorlar. Din bilginleri, Dürzîleri şiddetle İslam'ın dışında bir inanç grubu olarak değerlendiriyorlar. Dürzîlik hakkında çok sağlam bilgilere sahip değiliz. Çok kapalı bir dinî inanç grubudurlar. Fakat şunu biliyoruz: Osmanlı'da kamu hayatında Sünnî fıkhı kullanıyorlar. Vergiyi Müslümanlar gibi veriyor, askerliği de öyle yapıyorlar. Kuşkuyla karşılanmalarına rağmen devletin şiddetine pek de maruz kalmamışlar. Aynı şey Yezidîler ve Nusayrîler için de söylenebilir. Bunlar bir meselenin parçası olmamışlardır. Demek ki devlet, reel siyasî duruma karşı gizli bir yapılanma içine girenlere sert davranmıştır.

XIX. yüzyılda ise, devletle problem yaşamış gruplar görmezlikten gelinir. Mesela Ahmet Cevdet Paşa, merkezî İslamî yorumun dışında kalan inanışların hemen hepsine işaret ettiği halde, Anadolu Alevîliği'nden söz etmez. Bu, bir küçümseme ve Aleviliği dışlama anlamında değildir; daha çok, geçmişte yaşanmış bir yarayı, aile içi bir bölünmeyi örtme çabası olarak okunabilir. Diyelim ki Ahmet Cevdet Paşa, muhafazakâr biridir. Peki Şemsettin Sami gibi lâik zihniyetli bir adam için ne söyleyeceğiz? O da bunu yapmaktadır. Meşhur ansiklopedisinin [Kamusü'l Âlâm] *Akçadağ* maddesinde nüfustan, etnik yapıdan, dilden ve madenlerden bahseder, ama katiyyen Alevîlik ve Sünnîlik gibi şeylerden söz etmez.

Balkanlar'ın Anadolu ile Bütünleşmesi

Osmanlılığın Balkanlar'da ilerlemesinde rol almış bazı unsurlar üzerinde durduk. Bu ilerleme, parçalanmış Balkan dünyasını birleştiren bir fütuhattır. Bu fütuhatın, çok enteresan yöntemleri vardır. Yunanistan ve Arnavutluk gezilirse görülür. O yalçın dağlar ve kaleler nasıl fethedilmiştir? Bunun arkasında, hem askerî teknoloji hem de çok üstün bir diplomasi trafiği yatmaktadır. Bu unutulmaması gereken çok önemli bir konudur.

Diğer bir konu da, Balkanlar'ın Anadolu ile nasıl bütünleştiği, iktisadî sistemin nasıl kurulduğudur. Şunu açıkça belirtmek gerekiyor: Roma döneminde Balkanlar'da en önemli alt yapı, Arnavutluk kıyısındaki şehirlerden Selanik'e uzanan kara yoludur. Bu, Romalıların bulduğu esaslı bir çözümdür. Bu sayede, Balkanlar'da, deniz yolunun kuzeyinde kalan kara yolundan ulaşım ve asayiş birlikte sağlanmaktadır. Osmanlı işte bu yolu Edirne üzerinden, Tekirdağ yolundan İstanbul'a kadar getirmiştir. İkinci bir kol ise Balkanlar'dan geçmekte, Makedonya'yı içermektedir. Bu sağ ve sol kollar askerî yollardır. Bunun için ısrarla ve süratle tesisler tamir edilmekte, suyolları korunmakta, köprüler ve geçitler muhafaza edilmektedir. Balkanlar'dan Orta Avrupa'ya kadar iktisadî ve idarî bir sistemin kurulması işte bu sayede sağlanabilmiştir.

Aynı şey Anadolu için de söz konusudur. Orta Anadolu'dan geçen yollar, bir yandan Doğu Anadolu'dan Tebriz'e, öbür taraftan Haleb, Şam ve Arabistan'a doğru uzanmaktadır.

Osmanlı ve Hilafet

Osmanlılık, daha başlarda, ideolojik olarak İslam dünyasının öncülüğüne heveslenmiş ve bunu gerçekleştirmiştir. Bir kere, Yavuz Sultan Selim'in hilafeti Mısır'dan aldığı, bunun sembollerini getirdiği bir hikâyedir. Bu hikâye, XVIII. yüzyılda, Küçük Kaynarca Antlaşması'ndaki hilafet maddesinin desteklenmesi için uydurulmuştur. Hatta Mouradgea T. d'Ohsson (Muradcan Tosunyan) gibi Osmanlı Ermenisi bir ünlü tarihçi ve diplomat bile buna inanmış, "Osmanlı İmparatorluğu'nun Genel Tablosu" [Tableu General de L'Empire Ottoman] adlı eserinde bunu yazmıştır. Oysa böyle bir şey söz konusu değildir.

Osmanlı hükümdarları, daha başlarda zaman zaman halife un-vanını kullanıyorlar. Her zaman değil, zaman zaman... Yavuz'dan sonraki dönemde de bu böyle devam ediyor. Ama hilafete ısrarla sahip çıkanlar, XVII. ve XIX. yüzyıllar arasındaki padişahlardır. Bununla birlikte hilafet, her zaman çok önemsenmiştir. Hicaz'ın hâkimi olmak gibi bir niyet, hilafeti önemli kılmıştır. Bu niyet, *"Hicaz'ın hâkimi olmak"* şeklinde ifade edilmeyip, *"Hicaz'ın ha-dimi/hizmetkârı olmak"* şeklinde algılanmış ve ifade edilmiştir. Hilafetten maksat, İslam dünyasında bir öncü olarak algılanmak-tır. Osmanlı bunun için çok mücadele etmiş, ancak XVI. asırda Yavuz Selim'in seferleriyle bu gerçekleşmiştir.

Bundan sonra Osmanlı Hicaz'dan da sorumlu olmuştur. Me-sela Şam Beylerbeyi, yani Suriye Valisi, hac işlerine bakan emir olmuştur. Birtakım su ve kervan yollarının bakımı, buralarda asayişin sağlanması onun görevi olmuştur. Doğrusu hac işleri, o günün şartları içinde bugünkü Suudilerden çok daha başarılı bir şekilde yürütülmüştür. Tabii bu, müthiş bir masrafa da neden olmuştur. Suraiya Faroqhi "Hacılar ve Sultanlar" [Pilgrims and Sultans, The Haj under the Ottomans] adlı eserinde bu konuyu detaylarıyla araştırır. Zira orada, mimariden ve dülgerlikten anla-yan yoktur. İhtiyaç duyulan elemanlar ülkenin uzak yerlerinden oralara nakledilir. İnşaat ustaları, işçiler, mimarlar... Bütün bu aşırı masraf, İslam dünyası üzerinde etkili olmanın bedelidir. O zamanki devlet için bu son derece makul karşılanmıştır.

Devşirme

Sultan II. Murat'ın II. Kosova Savaşı'ndan ve Kosova'daki ba-şarısından sonra Osmanlı Devleti artık yıkılmaz bir imparatorluktur. Bu imparatorluk, Haçlıların saldırısını püskürtmüştür. Haçlıların başında Hunyadi Yanoş vardır ki bu, Macar tarihinin gördüğü en iyi komutandır. Macar ordusu, diğer Avrupa ordularına benzemez; bizim yeniçerilere benzer, iyi savaşan askerlerden oluşur. Üstün askerî bir teknoloji kullanan bu ordu çok sağlamdır. Gelin görün ki, ordunun bu sağlamlığı sebebiyle Macar devleti yıkılmıştır. Zira bu orduyu beslemek için hazinedeki para tükenmiştir. Bu bakımdan, Osmanlı Devleti'nin kapıkulu sınıfını, yeniçerileri, sipahileri nasıl beslediği konusu, malî, idarî ve askerî disiplin açısından kayda değer bir mevzudur. Devşirmeyi de buna katarak incelemek gerekir.

Balkan tarihçileri, devşirme sistemi üzerinde çok dururlar. Bunun Balkanlar'ın hayatını erittiğini, genç nüfusu tükettiğini iddia ederler, daha doğrusu ederlerdi. Bu bir abartmadır. Çünkü devşirme her yıl yapılmaz. İki üç yılda bir yapılır. Öyle büyük sayıda erkek çocuğu da devşirilmez. Aksi halde bu kadar insana kim bakacak, onları kim besleyecek? Devşirilenlerin sayısı birkaç bin kişi ile sınırlıdır. Bunun da kuralları vardır. Devşirme eminleri, son derece ciddi memurlardır. Seçilecek kişileri, simalarından tanırlar, karakter okurlar. Şehir çocukları devşirilmez. Dolayısıyla Yahudiler ve bir kısım Hıristiyan mezhepten çocuklar devşirilme dışında kalır. Çünkü muhtemelen bunlar köylü sınıftan değildirler. Aslında devşirilen çocuğun istikbali aydınlık görüldüğünden bu bir imtiyaz olarak algılanır. Unutulmasın ki devşirilenlerin en iyileri Enderun'a kaydırılıp büyük devlet adamları olarak yetiştirilirler. Bu konuda gözden kaçırılmaması gereken bir şey daha vardır: Türk çocukları da bu devşirme kurumunun muhatapları olmuştur. Mesela Magrib'e, Kuzey Afrika'daki dominyonlara gidenler, kul sınıfından Anadolulu çocuklardır, Türklerdir. Bunu isimlerinden, cisimlerinden, götürdükleri kültürel öğelerden biliyoruz.*

Devşirmeler, alındıkları ordu içinde tamamen merkezî dile, dine ve ananeye göre yetiştirilirler. Bu sınıf için hakiki bir asimilasyondan bahsedilebilir. Kimse burada Sırplı, Moralı, Bulgar veya Gürcü olarak kalmaz. Daha da enteresanı, belirli sınıfların ve bölgelerin insanları devşirilir. Mesela Kapadokya yöresi ahalisi, inşaat işçiliğinden iyi anladıkları için alınır. Buralardan ordunun istihkâm sınıfı diyebileceğimiz mimarî sınıfı için çocuklar devşirilir. Tabii devşirilen çocuğun etnik grubunu bilmesi de çok kolay değildir. Eğer devşirilen çocuk bunu hatırlıyor, biliyor ve devam ettiriyorsa da bu mesele edilmez. Mesela Vezir-i Azam Sokullu Mehmet Paşa, ailesiyle irtibat kurmuş, kardeşini bir ara Sırp Patriki yaptırmıştır. Yine vezirlerimizden Ayas Paşa, Hıristiyan bir Arnavuttur. Bu malum, çünkü çevresini tanımıştır. Hatta kendisine çocukken soğuk havada bir çift ayakkabı hediye eden bir kadına, vezirliği sırasında bu ayakkabının içine altın doldurup bunu hediye olarak göndermiştir.

Tarih kesintiye uğramaz

Osmanlı ilerleyişi nasıl bir süreçtir? Bu, çağdaş tarihçiler için büyük bir meseledir. Bu konuyu, sadece Türk tarihçiliği değil, Batı tarihçiliği de halletmiş değildir. Bunun elbette bir sebebi

---

* Mesela bugün Tunus'ta Millî Kütübhane olan eski kışladaki odaların üstüne "odabaşı" olan zabitlerin lakabları kazınmıştır. Gelenlerin nereli olduğunu ve köklerini buradan öğreniyoruz.

de, yakın ve yaşayan bir tarih olmasıdır. Yakın ve yaşayan tarih meselesi önemlidir. Bu anlamda Eski Mısır tarihi de bir ölçüde yaşıyor. Modern insanlık, o medeniyetin kalıntılarıyla, mirasıyla hayatına devam ediyor. Birtakım halkların, etnik ve dinî grupların çocuklarının tarihten getirdikleri sorunlarla cebelleşmesini, yaşayan tarih olarak adlandırıyoruz. Mesela zamanın Bulgar Çarlığı, Yıldırım Bayezid Han sayesinde Osmanlı hâkimiyetine girmiştir. Bugünün Bulgarları, XIX. yüzyılın Bulgarlarının dilinden ve dinindendirler. Yani dinden ve dilden doğan sorunlar bugün de oralarda yaşanıyor. Bugünün Bulgarları, bir anlamda dedelerinin tarihini sürdürüyorlar. Buna yaşayan tarih diyoruz. Evet, tarih kesintiye uğramaz; bir sonraki kuşağın hayatında devam eder.

BALKANLAR'DA OSMANLI HÂKİMİYETİ

Balkan tarihi mevzuu epey sorunludur. Birincisi; taraflar objektif tarihî veri ve yorumları dikkate almadan, günün siyasî ihtiyaçlarını merkeze alarak ve daha çok romantik özlemlerine karşılık gelmek üzere yorum yapıyorlar. Bu da Balkan tarihi dediğimiz şeyi alt üst ediyor. İkincisi; XIV-XV. yüzyıl Balkan ve Türk tarihi kaynakları, itiraf edelim ki kıttır. Mesela Avrupa devletlerinin 1300'lere, 1400'lere ait kaynakları, nitelik itibariyle Balkanlarda ve Türklerde bulunmaz. Bu yüzden Balkan tarihi, bilimsel verilerin incelenmesinden çok, büyük ölçüde spekülasyonlara dayanır.

Mesela deniyor ki Makedonya ayrı bir ulustur, Slav kökenlidir ama diğer Slavlardan farklı bir ulustur. Bulgarlar buna karşı çıkıyorlar: "*Hayır, Makedonya bizim bir parçamızdır; tarihte Makedonya, Bulgaristan idi*" diyorlar. Bulgarları destekleyen veriler var mı? Var. Haritalara dayanıyorlar. Oysa haritalar çoğu zaman doğruyu söylemez, bu konuda yetersiz kalır. Haritalar genellikle yer ölçümleri ve gözlemlerden hareketle değil, duyumlar ve tahminlerden hareketle şekillenir. Daha başta, yanlış çizilmiş haritalar tarihçileri yanlış yorumlara götürebilmektedir. Sonra isimlendirme ve beşerî coğrafya bilgisi ya yetersiz ya da yanlıştır.

Evlilik Yoluyla Toprak Genişletme

Henüz Anadolu Birliği kurulmamışken, yani Osmanlı, Karaman Beyliği ile cebelleşirken, bugünkü Bulgaristan bir Osmanlı ülkesidir. Selanik ve Peleponnes, Osmanlı idaresi altındadır. Orta Yunanistan, Makedonya, Trakya ve kuzey tarafları Osmanlı hâkimiyetindedir. Sultan Murad-ı Hüdavendigâr, Osmanlı tarihi açısından ilk Balkan hükümdarıdır. Çok akıllı bir politika güder ve Germiyan hükümdarının kızı Devlet Şah Hatun'u oğlu I. Bayezid'e nikâhlatır. Böylece Germiyan Beyliği Osmanlı'ya çeyiz olarak gelir. Bu; Kütahya'nın merkez olduğu, Simav, Emet, Tavşanlı gibi civar kazaları içeren geniş ve verimli bir toprak parçasıdır.

Bu önemli bir olaydır. Çünkü Şark ve Türk tarihinde bu şekilde çeyizle toprak büyütmek pek görülmez. Bu aşağı yukarı ilk ve son büyük istisnadır. Daha evvel de hükümdar evliliklerinde çeyiz alınmıştır, ama bu, toprak ve ülke ilhakı şeklinde olmamıştır. Nitekim Germiyan gibi büyük bir beylik çeyiz olarak Osmanlı'ya katılmıştır. Devlet ve toplum bu evlilikten mutlu olmuştur, ama bu evliliği yapan kişiler mutlu olmuş mudur, bilmiyoruz. Zira hükümdar evliliklerinde, kız ve erkek tarafına, 'Bu evliliği istiyor musun?' denilmiyor. Evlilik, devletin menfaati gözetilerek yapılıyor. Bu evlilik de bu saikle gerçekleşiyor.

Fatih Sultan Mehmet, iki kuşak sonrası itibariyle, bu evlilikten dünyaya geliyor, ki Osmanlı tarihi açısından bu çok önemlidir. Diyebiliriz ki Osmanlı hanedanına, Devlet Şah Hatun ile Yıldırım Bayezid Han, annelik ve babalık yapmaktadır. Hanedan kendilerinden türemekte, onların çocuklarıyla devam etmektedir. Bu gerçeğe rağmen diyebiliriz ki Şark devletleri, bilhassa Türk-Osmanlı Devleti fütuhatla büyür. Muharebeler neticesindeki ilhaklarla sınırlarını genişletir, yoksa evliliklerle değil...

Evliliklerle genişlemenin tipik örneği Avusturyadır. Avusturya'nın büyük dukaları, Viyana ve etrafındaki bölgelere sahip olanlar, yani Habsburglu Maximilian ilk önce Burgondiya Dukası'nın büyük kızı Marie ile evlendi. Buna tarihte "Burgond Düğünü" denir. Bu sayede o küçük ülke, bugünkü Hollanda'nın bir kısmı, Belçika'nın ve Fransa'nın bir kısmına hâkim oldu. İkinci evlilik, "İspanyol Düğünü"dür. Kastilya Kraliçesi İzabel ile Aragonlu Ferdinand'ın kızları prenses (deli) Yuana ile Habsburg Büyük Dukası'nın oğlu Philip evlenmiştir. Bu evlilikten de bütün İspanya'yı, İspanya'nın sömürgelerini, Avrupa topraklarını, Güney İtalya ve Milano'yu içeren bir dünya imparatorluğu doğmuştur.

Habsburgların tarihinde bir de "Macar Düğünü" vardır. Habsburglu Ferdinand ile Macar Kralı Layoş, aralarında yaptıkları bir anlaşmayla kız kardeşleri (Anna ile Maria) ile karşılıklı evlenme konusunda sözleşirler. Bu antlaşmaya göre ilk kim ölürse, ölenin mülkü diğerine geçecektir, ki Macar mülkü epey çoktur: Romanya'nın yarısından, Ukrayna'nın bir kısmından, Slovakya'nın, Hırvatistan'ın ve Sırbistan'ın topraklarından oluşan kocaman bir krallık. İlk önce Macar Kralı ölür. Ama gelin görün ki Kral, yatağında değil, Mohaç Savaşı'nda ölmüştür. Avusturyalılar Macaristan'ı alamaz, çünkü buralar Türkler'in eline geçmiştir.

İşte böyle, evliliklerle büyüyen bir dünya imparatorluğu gerçeği vardır. Bu gerçek, yarı şaka yarı ciddi bir slogan doğurmuştur.

"Bellum gerant alieni, tu felix Austria nube" – *"Bırak başkaları savaşsınlar ey mesut Avusturya, sen evlen!"* Evliliklerle, düğündernekle toprak büyüyor. Şüphesiz, hukukî ve resmî bağları çok farklı bir devlet tipidir bu.

Klasik Döneme Doğru

Bu şekilde evliliklerle kurulan ve büyüyen bir devlet yapısı Şark'ta görülmez. Bu, çok önemli bir farktır. İfade ettiğimiz gibi Osmanlı büyümesi ve yayılması fütuhata bağlıdır. Nitekim Niğbolu Savaşı, Bulgaristan'ın ilhakından hemen sonra gelmiştir. İlk birleşik Avrupa Haçlı Orduları, Niğbolu'da Yıldırım Bayezid tarafından dağıtıldıktan sonra Osmanlı Balkan hâkimiyeti pekişmiştir.

Fetret devrinde Balkanlar'da bazı yerler kaybedilmiştir, ancak bunlar II. Murat devrinde tekrar geri alınmıştır. Çelebi Sultan Mehmet Devri'nde başlayan yenileme II. Murat'la tamamlanmıştır. Hatta diyebiliriz ki Fatih döneminde Türkiye tarihinde gerçek anlamda bir imparatorluk doğmuştur. Fatih Sultan Mehmet Sırbistan'ı ve Belgrad'ı alamamıştır, fakat Bosna Hersek'i alarak Arnavutluk fethini tamamlamıştır. Bütün Mora Peleponez'e nüfuz etmiş, fakat adalardan önemlilerini alamamıştır. Ege adalarından Rodos'u da alamamış (ki bunu Kanuni Sultan Süleyman başarmıştır), fakat Agriboz, Samatrakis (Semadirek), Limni gibi Kuzey Ege adalarının önemli bir kısmını imparatorluğa mal etmiştir.

XVI. ve bilhassa XVII. yüzyılda Girit'in fethiyle, Akdeniz'in doğusu bir Türk gölü haline gelmişti. XV. yüzyılda Rodos, Malta, Kıbrıs ve Girit Venedik'in hâkimiyetindeydi. XVI. asırda Kıbrıs ve XVII. asrın sonunda Girit bize geçti. Ancak Türk İmparatorluğu'nun buralardaki deniz hâkimiyeti yeterli değildi.

Çünkü bu adalar, korsan deniz üsleriydi; Osmanlı donanmasının yayılmasını ve deniz ticaretini engelliyorlardı. Bunun için, Akdeniz'in Türk gölü haline gelmesi gibi bir hüküm üzerinde ihtiyatla durmalıyız. Bu Akdeniz gölü, bütün Akdeniz anlamına gelmiyor: Malta, Sicilya, Korsika gibi üsler hiçbir zaman elimizde olmadı. XVII. yüzyılda Girit'in alınmasıyla ancak Akdeniz'in doğusu bir Türk gölü haline gelmiştir ki bu hâkimiyet, aşağı yukarı XIX. yüzyılın sonuna kadar devam etmiştir. Berlin Kongresi'nde Kıbrıs'ın İngilizlere üs olarak verilmesinden, ardından Girit'e ayrı bir statünün tanınmasından sonra adanın bu durumu değişmiştir. Ama diyebiliriz ki Doğu Akdeniz, XIX. yüzyılın son çeyreğine kadar Türklerin hâkim olduğu bir denizdir.

Balkanlar'a gelince... Oradaki fütuhat çok daha erken, 1395 gibi bir tarihte gerçekleşmiştir. XIV. yüzyılın sonunda Osmanlı hâkimiyetine giren Bulgaristan, ancak Berlin Kongresi'nden sonra farklı bir statü kazanmış, ardından 1908'de bağımsızlığını elde edebilmiştir. Osmanlıların Balkanlar'daki hâkimiyeti yaklaşık beş asra tekâbül etmektedir. Makedonya ve Sırbistan'ın doğusu için de bu süre beş asrı geçer. Selanik için daha da uzundur. Selanik iki kere fethedilmiştir. 1912 kışının tatsız bir gününde de bütünüyle Yunan ordularına terk edilmiştir. Gerçi Bulgarlar da burayı almak istiyordu, ancak Yunanlılar şehre daha önce girmiştir. Şimdi bilindiği gibi Selanik, Yunanistan'ın bir parçasıdır. Oysa Selanik Yunanlı değildi. Orada Hellen unsur, en az olanıydı; hâkim unsur Yahudilerdi. Yeryüzünün XIX. yüzyıla kadar en büyük Yahudi metropolüydü Selanik... 1912'de o şehre giren Yunanlılar önce Yahudi mahallesinde etnik temizliğe başlamışlardır.

Toparlarsak; Balkanlar'daki hâkimiyetimiz, Ortadoğu'daki hâkimiyetimizden daha uzun ömürlü olmuştur. İkincisi; Osmanlı hâkimiyetinin yapısı ve bünyesi Balkanlar'da daha kuvvetlidir. Mesela Osmanlı, Arap ülkelerinin birçoğunda, merkezî idarenin unsurlarını o kadar kuvvetle yerleştirememiştir. Buna karşılık Bulgaristan'da, Makedonya'da, Trakya'da, hatta Orta Yunanistan'da Osmanlı hâkimiyeti çok tipiktir; idarî yapının bütün unsurlarını içermektedir. Bu yüzdendir ki Balkanlar'da Osmanlılığın izleri silinemiyor. Bunun silinmesi için, çok daha uzun bir zaman, çok daha vandalca gayretler gerekiyor. Gerçi bu kısmen yapılmaktadır.

Balkan ülkeleri, millî tarihi kendilerine göre yorumlamaktadırlar. Mesela Osmanlı mirasını ısrarla görmemeyi tercih ediyorlar. Tarihe böylesi bir yaklaşım tarzı, birçok ülke için geçerlidir. Maalesef bizde de bu tip bir yaklaşım, bu tip bir milliyetçilik yerleşmeye başlıyor. Biz ise şunu diyoruz: İmparatorluk yapısından kalan, onun hakiki mirasçısı ve ana unsuru olan Türklere bu tip politikalar yakışmıyor. İmparatorlukların ana unsuru olan halklar daha geniş, daha üniversal karakterli bir tarih görüşüne, farklı dil ve dinleri içeren çoğulcu bir milliyet tasavvuruna sahip olmalıdır.

Osmanlıların Avrupa'ya geçişi nasıl olmuştur?

Romantik tarihçiliği biliyoruz. Âşıkpaşazade'ye göre; gaziler ay ışığında indiler Eceabat'a... Orada öküzleri avlayıp kestiler. Kestikleri öküzlerin postlarını şeritlere ayırdılar. Sonra etraftaki ağaçları kestiler. Bu ağaçları öküz postlarının şeritleriyle birbirlerine bağlayıp sallar oluşturdular. Bu sallarla da Rumeli'ye geçtiler.

Bu pek güzel bir hikâyedir; XV. yüzyılın insanı için söylenmiş emperyal bir formüldür. Gelin görün ki, iş bu kadar romantik ve kolay olmamıştır. Osmanlı için Rumeli'ye geçiş; sabır isteyen, askerî ve diplomatik hassasiyet gerektiren bir hadise olmuştur. İlk önce Bizanslılarla ittifak halinde olan Venedik'e, Cenova'ya, İtalyan şehirlerine ve başka unsurlara karşı savaşılmıştır. O yıllarda bir depremde Rumeli'deki bazı kalelerin hasar görüp yıkılması, Osmanlı'nın Rumeli'ye geçişini kolaylaştırmıştır. Osmanlı tamir ettiği kalelere yerleşmiştir.

Osmanlılık ve Türklük, 1354'te Edirne'nin alınmasıyla, Rumeli'ye adım atmıştır. Rumeli bundan sonra bir vatan olarak inkişaf etmeye başlamıştır. Tabii Rumeli'den çekilme de, ağır bir bedel ödetmiştir. Tevfik Çavdar'ın, Balkan Savaşları'nı anlatan romantik bir pasajı vardır. Oradaki resimlere bakıldığında, insanın tüyleri diken diken oluyor. Mesela o soğuk kış günlerinde, yanında anne ve babası olmadan gömlekle kaçmış bir kız çocuğu perişan bir kitlenin içindedir. Tren vagonlarına doluşarak kaçan insanların çoğu hayatta kalamamıştır. Rumeli'den kaçan insanlar düzenli bir ordunun takibinden kurtulamamışlardır. Bu küçük Balkan orduları, Batı'nın büyük orduları gibi askerlik haysiyetine ve disiplinine de sahip olmayıp yağmacı ve kıyımcıdırlar. İnsanlar bunların şerrinden kaçıyorlar. Köyler boşalıyor.

Kan, ateş ve barutla dolu bir kaçış, bir dramatik tarih...

Bu kaçış, bu yaşanan acı tarih Türk ulusunda milliyetçiliği uyandırıyor. Rumeli'deki beş asırlık hâkimiyetten sonra, insanlar yoğun bir felaket ortamına çekiliyorlar. Bu, Osmanlı'da millî devlet düşüncesinin ve milliyetçiliğin uyanmasına sebep oluyor. Bu bakımdan Osmanlı inkişafının tarihini çok iyi bilmek zorundayız. *"Nasıl bir coğrafyaya adım attık ve o coğrafyadan nasıl çekildik?"*

sorusunun cevabı önemli. Yaşananlar, tarihte kalmış şeyler değil; keşke öyle olsa! Osmanlı tarihinin sonuçları yaşanmaya devam ediyor. Bu dış ilişkilerimizde daha çok hissediliyor. Bu yüzden beş asır süren Balkan hâkimiyetini bilmek ve yeniden yorumlamak zorundayız. Bu, birilerine saldırmak için değil, birilerine karşı kendimizi savunmak için önemlidir. Fikrî bir savunma için gereklidir. Çünkü Rumeli hâkimiyeti, Türk tarihinin en çok çarpıtılan kısmıdır. Yabancılar gibi biz de bir çarpıtma yapıyoruz, ama başka açıdan. Demem o ki; hükmettiğimiz Rumeli'nin tarihini, kültürünü ve dilini birincil kaynaklardan öğrenmek zorundayız.

İstanbul fethedildiğinde, Osmanlı İmparatorluğu bir buçuk asır yaşındadır. Ve o gün, Tuna kıyılarına kadar uzanılmıştır. Bunu düşünebiliyor musunuz? İstanbul fethedildikten sonra da, Osmanlı adeta eski Roma-Bizans İmparatorluğu'nu yeniden tesis etmiştir. Çünkü o dağınık Rumeli'de, iktisadî sosyal bir birlik kurulmaktadır. Bir çekirdek bölge olan bu saha tarihimizde esas rolü oynamaya başlamıştır. Ancak hiç şüphesiz, herkesin sahip olmak istediği şehir, İstanbul'dur.

Üç İmparatorluğun Başkenti: İstanbul

"Be makam-ı Konstantiniyye el mahmiyye"; yüzyıllar boyu Osmanlı İmparatorluğu'nun fermanlarında ve kayıtlarında büyük şehrin ismi böyle geçerdi. Son döneme kadar, basılan bazı kitapların ilk sayfasında "Konstantiniyye... matbaası" künyesi vardır. Osmanlı, Büyük Konstantin'in kurduğu dünya başkentine sahip olmaktan gurur duyar. İsmi çoktu büyük şehrin; Asitane, Deraliyye, Dar-ül Hilafet'ül Âliyye, Dar'üssaadet veya Dersaadet; İslambol gibi... İstanbul "Stinpolis-Şehre doğru" deyimin-

Topkapı Sarayı

den gelir. Bilhassa Emevi devri Müslüman Arap kuşatmacılar bu deyimi "İstenbul" diye telâffuz ettiler. Nedense Konstantinopol isminden bucak bucak kaçanlar, bu kelimeyi Türkçe sanırlar. XV. yüzyıldan beri şehre gelen seyyahlar onun düzineyle ismini saymadan edemezler; Byzantion, Nea Roma gibi... Slavlar Tsarigrad der. Balkanlar'da da hâlâ böyle; Çar Şehri ismiyle yaşar, yani Roma'nın çesarları... İsmi çok, eseri çok, uzun geçmişi şanlı bir şehirdir. İstanbul... Birileri ona Nea Roma derler: Yeni Roma. İslam milletleri, ona, hilafetin merkezi gözüyle bakarlar; Saadet Kapısı derler. XVIII. yüzyıl fermanlarında 'İslambol' tabiri de geçmektedir. İslambol, XVIII. yüzyılın tabiridir, resmî olarak kısa süre kullanılmıştır. Osmanlı payitahtına evrakta daha çok Kostantiniyye der.

İstanbul ilginç bir tarihe sahiptir. Nasıl o güne kadar Osmanlı İmparatorluğu, Hıristiyanların, Slavların ve Hellenlerin bir arada yaşadığı bir yer ise; İstanbul da, uzun yıllar birçok unsurun bir arada yaşadığı bir imparatorluk başkenti olmuştur. Osmanlı bu imparatorluk başkentini fethettiği günden itibaren, mimarisiyle ve yerleşimiyle süratle Osmanlılaştırmaya gayret etmiş, bunu birkaç asır içinde başarmıştır. İstanbul'un fethiyle birlikte imparatorluğun değişmez başkenti İstanbul olmuştur.

Daha evvel iki başkent vardı: Bursa ve Edirne... Gerçek anlamda başkent Bursa'dır; ilk padişahlar ve şehzadeler orada medfundur. Edirne, sultanlara makber olmamıştır. Daha çok, ileri bir karakol olarak imar edilmiş ve öyle hizmet etmiştir. Ordunun garnizon merkezi olması açısından da önemli bir yerdir. Edirne XIV. asır ortalarından beri Türklerin elinde olmasaydı, Balkanlar'da ve Orta Avrupa'da bu kadar kolay ilerlenemezdi.

Osmanlı ilerlemesinde, iki merkez çok önemlidir. Biri Edirne, diğeri Kanuni devrinde fethedilen Belgrad. Bunlar askerî merkezler, mühimmat depolarıdır; savaşan ordunun gerisinde kalan, emniyetin tesis edildiği yerlerdir. Bunlar olmasaydı, Osmanlı'nın Tuna boylarını ele geçirmesi ve elinde tutması zorlaşırdı. Nitekim Edirne, son derece büyük eserlerle süslenmiş, parlak ve güzel bir şehirdir.

Demem o ki kanunî ve hukukî açıdan ağırlığı olan başkent, İstanbul'un fethine kadar Bursa'ydı, ki Osmanlı Türk mimarisinin sadeliğini temsil eden bir şaheser olarak önemli bir şehirdir. Beynelmilel ticaretin merkezlerinden biridir. Yabancı tüccarların küçük koloniler halinde de olsa yerleştiği ve yaşadığı bir yerdir. Bursa'nın tarihi, Osmanlı Türkiyesi'nin tarihi demektir. Bursa'nın eski yapısı, Osmanlı sanatının, zevkinin ve mimarisinin merkezi sayılmalıdır.

BİR BALKAN İMPARATORLUĞU OLARAK OSMANLI

Osmanlı, Avrupa ile nasıl temas etti? Bu, sadece Türk tarihinin değil; bütün İslam tarihinin, hatta daha da genişletirsek bütün Doğu tarihinin en mühim sorunudur. Tarihte ilk kez Asyalı bir toplum, Avrupa'nın içlerine bu derece girip yerleşmiştir. Moğolların Polonya sınırına kadar gidişi, buna benzemez. Çünkü Moğollarınki bir giriş, sonra da geri çekilmedir. Moğol İmparatorluğu geniş bir alana yayılmıştır, ancak kalıcı olmamıştır. Avrupa'daki Moğollar, birkaç öncü Moğol kabilesi dışında, çoğu Kıpçak Türk kabilelerinden oluşmaktaydı. Altınordu Hanlığı'nın gerek bürokrasisi, gerekse askerleri daha çok Kıpçak-Türk kabilelerine dayanmaktaydı. Sadece bir iki Moğol kabilesi bu camianın başında bulunuyordu.

Evet, Osmanlı İmparatorluğu, Avrupa içlerine girmiş ve uzun bir süre orada kalıp yerleşmiş bir güçtür; bu keyfiyet çok önemlidir. Zira bu olayda, Doğu ve Batı karşılaşmıştır. Bu karşılaşma ve kaynaşma maalesef Garp'ta, bir istila olarak değerlendirilmektedir. Benzer şekilde Şark'ta da Batı ile bu karşılaşma, karşılıklı bir tanışma vesilesi olarak değil, daha çok fetih ve hâkimiyet duyguları içinde değerlendirilmektedir. Bu değerlendirme biçimleri, durumu anlatmaya yetmiyor. Medeniyet ve kültür tarihi açısından bu durum üzerinde durmak gerekiyor. Tabii ki bu o kadar da kolay değil. Buz üstünde durmak gibi bir şey bu, durabilmek için de, buz üstünde kaymayı öğrenmek gerekiyor.

Doğu ile Batı'nın bu karşılaşmasını sağlıklı biçimde değerlendirmek için neler yapmak gerekiyor? Bunun için ilk önce Balkan, Orta Avrupa ve Doğu Avrupa milletlerinin tarihini, kültürünü ve dilini etüt etmek lazımdır. Bunlar yapılmadan Osmanlı'nın Balkan hâkimiyetini kavramak mümkün değildir. Mesela Balkanlılar; Türk dilini, medeniyetini ve kültürünü öğrenmedikleri için tarihlerinin o en önemli safhasını yanlış değerlendirmişlerdir. Bu yüzden Türkler Balkan dillerini, Bizans ve Slav tarihini, bu kültürlerin ve Ortodoks Kilisesi'nin tarihini çok iyi bilmek durumundadırlar. Ama ne yazık ki, ortada böyle bir durum yoktur.

Gelin görün ki, bunu Balkanlılar değil, Almanlar, Anglosaksonlar ve Ruslar yapıyor. Dolayısıyla bu yorumlar merkezî bir yere taşınıyor, konu bu çerçevede değerlendiriliyor. Biz bu konuyu öğrenelim ve yorumlayalım derken, şoven duygularla hareket etmiyoruz. Bilimin nesnel, herkes için kabul edilir yöntemleri vardır. Ama şu da bir gerçektir; herkes tarihe kendi kültür, tarih ve medeniyet gerçeği içinden bakar, yorumları da buna göre şekillenir. Dememiz şu ki Türk tarihçiliği, üzerine düşen sorumluluğu yerine getirmediği için, hem kendine hem de dünyaya noksan bakıyor.

Şimdi konuya girelim: 1300'lerin başında bir beyliğin varlığı tanınıyor. 1354 tarihi konusunda tartışmalar vardır, ama biz bu tarihi esas almayı tercih ediyoruz; Edirne fethediliyor. Edirne (Hadrianopolis), Balkanlar'daki, Trakya'daki en mühim merkezdir; Roma İmparatoru Hadrianus'un, askerî ve ticarî nedenlerle kurduğu bir şehirdir. Dolayısıyla Edirne'nin fethi, mühim bir merkezin ele geçirilmesi anlamına geliyor. Mesela Selanik, daha sonra alınmıştır. Alındığında Selanik küçük bir şehirdir, bir ara kaybedilmiş, sonra II. Murat devrinde tekrar Osmanlı Devleti'ne katılmıştır. 1912 yılının kışına kadar da Türklerin hâkimiyetinde kalmıştır. Bilindiği gibi İspanya'dan ve Avrupa'nın muhtelif yerlerinden göç eden Yahudi nüfus Selanik'e yerleştirilmiştir. Selanik, XX. yüzyıl başlarına kadar bütün Avrupa'nın ve Akdeniz'in en büyük Yahudi şehri olmuştur. Bu dahi, Osmanlı İmparatorluğu'nun ne kadar üniversal karakterli bir imparatorluk olduğunu gösteriyor.

Akdeniz cumhuriyetlerinin elinden alınan bir küçük liman şehri olan Selanik, büyük bir metropol haline getiriliyor. Bu metropol, sağdan soldan kovalanan Yahudilere bırakılıyor. Şehrin nüfusu büyük ölçüde Musevilerden oluşuyor. Bu açık bir tarihî gerçektir. Osmanlı'nın XV-XVI. yüzyıllardaki bu akıllı davranışını, XX. yüzyılın başındaki Yunanistan Krallığı gösterememiştir. 1912'de şehre girdiklerinde yaptıkları ilk iş, Yahudi katliamına başlamak olmuştur. Bunu biz değil, Yahudi tarihini yazan René Molho gibi Musevi tarihçiler söylüyor.

Gelişen Osmanlı İmparatorluğu, XV. asrın başlarında bugünkü Doğu Sırbistan'ı, Arnavutluk sınırlarını, Yunanistan'ın kuzeyini ve bütün Bulgaristan'ı içeriyordu. Tabii bu ani büyüme, bu Avrupa içine yerleşme, ne İspanya'nın Araplar tarafından fethine, ne de Pers imparatorlarının Yunanistan'a girip Atina'yı tahrip etmesine benziyor. Onlar girmiş, hemen sonra da çıkmışlardır. Gerçi Araplar Endülüs'te uzun bir süre kalıp orada çok parlak bir medeniyet kurmuşlardır. Orada tarihin en kozmopolit (Musevi-

Hıristiyan-Müslüman karışımı) medeniyeti, gerçek anlamda İspanya Rönesansı oluşturulmuştur.

Esas noktaya geliyoruz: Osmanlı İmparatorluğu, XV. yüzyılın başında, artık Avrupa'da son derece güçlüdür. Kendisine karşı Haçlı ittifakları meydana gelmektedir. Avrupa çekinmektedir, çünkü artık Macar Krallığı'na doğru yürüyen bir kuvvet vardır. O zaman çok kuvvetli olan Macaristan Krallığı; Sırbistan'ı, Hırvatistan'ı, Romanya'nın yarısını elinde tutan Macaristan Krallığı; daha sonra Polonya ile akrabalık bağı kurmuş, hatta Zigismund bir ara Alman İmparatorluk tacını bile giymiştir. Şimdi karşısında, bu derece büyük Katolik devletinin topraklarına doğru ilerleyen bir Türk devleti vardır.

Osmanlı, I. Murat-ı Hüdavendigâr'dan itibaren Balkanlar'da bir imparatorluk olarak bulunuyor. Bu devletin XV. yüzyıldaki nüfusuna ve topraklarına baktığımızda, bunun bir Anadolu İmparatorluğu değil de, bir *Balkan İmparatorluğu* olduğunu söylemek mümkündür, ki bu Balkan İmparatorluğu ahalisinin çoğu Hıristiyandır. Avrupa, kendisini istila eden bir Müslüman kuvvet karşısındadır, ancak bu Müslüman kuvvet, aynı zamanda fethettiği topraklarda bulduğu Hıristiyanlara ve Musevilere kendi imparatorluğunda yer verebilmektedir. Osmanlı İmparatorluğu bu anlamda çoğulcu bir özellik arz etmektedir; farklı din ve kültürlerden insanlar kendilerini rahatça ifade edebilmektedirler. Bunun tarihteki örneği, pagan Birinci Roma İmparatorluğu'ndaki dinî rahatlıktır. Orada da bütün dinlere kolaylık sağlanırdı. Tek istisnası vardı: Romalılar, Yahudilikten bir ölçüde rahatsızlık duyuyorlardı.

Slavlar, böylesine kozmopolit bir imparatorluğa ve Türk Sultanı'na "Çar" diyorlar. 1453 yılına kadar Bizans'ın varlığı söz konusudur. Ancak Hellen nüfusun çoğunluğu artık Türklerin, Osmanlılar'ın idaresindedir. Ortodoks diğer milletler buna dâhildir. Türk İmparatorluğu'nun üniversal bir veçhesi vardır, ancak yine de İslamîlik merkezî bir karakterdir. Bunun içindir ki Osmanlı Devleti'nin tarihi, Batı için çok önemlidir ve ne yazık ki biz bunu anlamamışızdır. Zira ilk kez, Balkanlarda iki ayrı medeniyet, Doğu ile Batı bir araya gelmiştir. Tarihte belki de bu ilktir.

Tarih daha önceleri neyi görmüştür?

Tarih, Büyük İskender'in M.Ö. IV. asırda Makedonya'dan çıkıp Yunanlı kuvvetlerle, daha sonra Küçük Asya'daki müttefikleriyle Şark'a doğru yayılmasına; Küçük Asya, İran ve Sogdiyana'ya, Orta Asya'ya, Afganistan'a, Hind'e kadar inmesine; Babil'e, Kuzey Mezopotamya'ya ve Mısır'a geçmesine tanıklık etmektedir. Burada da bir Batı–Doğu sentezinden bahsediliyor. Ama hiçbir zaman Osmanlı'ya mukabil bir hareket, Doğu'dan Batı'ya doğru gelişmemiştir. Doğuluların Batı'ya geçişi, Osmanlı'da olduğu kadar yaygın ve kuvvetli değildir. Bu ilk kez Osmanlı İmparatorluğu ile gerçekleşmektedir. Bu yüzden, Osmanlılığın Batı'ya gidişi, dünya tarihi açısından incelenmeye değer bir konudur.

Batı, bu Doğu'ya nasıl bakmıştır? Batı, karşısında yeni bir Doğu görmüştür. Araplara benzemeyen bir Doğudur bu. Hatırlayalım, X. asırda İslam fütuhatı durmuştur. Araplar, İberik yarımadasının hepsini değil, büyük bir kısmını ele geçirmişlerdir. Bu, bugünkü Portekiz'i de içermektedir. Ama mesela Katalunya dediğimiz kısım, Barselona'nın civarı bunun dışındadır. Kuzey İspanya; yani Navar, Leon ve Galiçya dediğimiz kısım dışarıda kalmış, İspanyol Hıristiyanları buralarda yaşamaya devam etmişlerdir. Güney İtalya'ya girilmiş, Sicilya ve Girit alınmış ama Balkanlar'a ve Trakya'ya adım atılmamıştır. İstanbul, birkaç kez kuşatılmış ama fethedilememiştir. X. asırdan itibaren İslam hâkimiyeti gerileme dönemindedir; İslam dünyası, giderek Akdeniz'in güneyine itilmiş, egzotik bir din ve medeniyeti temsil etmektedir.

Bunu kim değiştirecektir?

XI. asırda ortaya çıkan Türkler...

Türkler ile birlikte yeni bir fetih başlamaktadır. Bu fetih, XIV–XV. asırlarda Osmanlı Devleti'nin şahsında Avrupa'nın içlerine doğru gelişir. Bu yüzden, bu yeni gücün, yani Türkler'in Balkanlardaki varlığı Batı için son derece tehlikeli bir durumdur.

OSMANLI'NIN XVI. VE XVII. YÜZYILLARI

Osmanlı tarihinde XVI. ve XVII. yüzyıllar, tarih eğitimi açısından birbirinden çok farklı iki yüzyıl gibi gösterilir. Bu doğru değildir. Doğru olmaması, sadece o yılların Hicrî takvimle farklı dönemlere denk düşmesinden ileri gelmez.

Miladî tarih itibariyle Avrupa'nın 1600'ü, dinî ve kültürel bakımdan çok önemlidir. Çünkü 1600'de birtakım batıl hareketler ve itikatlar vardır, Hıristiyanların çok önemli bir kısmı kıyameti beklemektedir. Bu kıyamet fikrinin etrafında birtakım içtimaî, dinî gelişmeler meydana gelmektedir. Oysa Osmanlı için böyle bir şey söz konusu değildir. Kurumlarımızın devamlılığı açısından bu iki yüzyılı ayırmak pek mümkün görünmemektedir.

Ne yapacağız?

Gayet açıktır. *Kanuni devri* ve *Kanuni sonrası devir* diyeceğiz. Bu da isabetli bir bölümleme olmayabilir. Çünkü bilindiği gibi Osmanlı tarihinin en uzun hükümet eden sadrazamlarından birisi Sokullu Mehmet Paşa'dır. Kanuni devrinin son başveziri, son sadrazamıdır. II. Selim'in bütün saltanatı boyunca sadrazam olarak kalmıştır. III. Murat'ın zamanında da sadarete devam etmiştir. Henüz aydınlatılmamış karanlık bir tertiple katledilene kadar sadrazam olarak kalmıştır. Onun idare ettiği dönemde Osmanlı tarihinin belirli bir rengi vardır ve henüz kudret ve üstün görünüm devam eder. Bununla birlikte hem bugünün hem de o zamanın tarihçileri, Kanuni devrini harp, siyaset, müesseselerin devamı, adaletin dağıtımı, toprak nizamı açısından Osmanlı tarihinin doruk noktası olarak görürler. Kanuni döneminden sonrasını ise bir duraklama ve çöküş devri olarak nitelendirirler.

Kanuni Sonrası...

Ancak Avrupa'dan bakıldığında Kanuni'nin hemen ertesinde Osmanlı iktidarı böyle görülmemektedir. Devletin toprakları hâlâ üç kıtadadır. Osmanlı, Avrupa devletleri ile ilişkilerde taviz vermeye yanaşmayan bir diplomasiye sahiptir. Avrupa'daki kuvvetler dengesini çok ustalıklı kullanan bir imparatorluk vardır. Şunu da açıkça söyleyebiliriz: Bu diplomasiyi yürütmede, bir gaddarlık da söz konusudur. Şöyle ki: Avrupa'da Habsburglar ha-

Defterdarın Kalemi

nedanının yönettiği İspanya'nın mülkü Güney Amerika'yı, Kuzey İtalya'yı, Güney İtalya'yı ve Flander bölgesini içermektedir. Ve onların biraderi, Habsburg ailesinin diğer bir hükümdar kolu olan Ferdinand bir tarafta; V. Charles, öbür taraftadır. Ferdinand ve Avusturya memaliki bir blok teşkil eder. Bunlar Katoliktir ve kendine Katolik Kral diyen Fransa'nın da bu ittifaka güya yaklaşması gerekir. Ama hayır, tabii ki yaklaşmaz, çünkü bunlar rakiptirler. Osmanlı da Fransa ile Bourbon ve Habsburglu bloku arasındaki kavgayı ustalıkla körüklemektedir.

Sadece bu da değil! XVI. yüzyıl Avrupası'nı saran Protestan-Katolik çatışmasında Osmanlı, Protestanlar lehine bir kışkırtıcılık yapmaktadır. O zamanki Macaristan'ın çok önemli, geniş bir kısmında yani Erdel'de Lutherci mezhep hâkimdir. Osmanlı burada bir hamilik siyaseti izlemektedir. Avusturya'da Protestanlar, Alman Prenslikleri için Türklerden hayırhah bir destek ummaktadırlar. Çok açıktır ki bu dönemde bloklar arasındaki çatışmayı körüklemek, Osmanlı politikasının şiddetle kullandığı bir tekniktir.

XVI. yüzyıl boyunca Avrupa, muntazam daimî ordulara sahip değildir. Bunu savaş tarihinde de görürüz. Avrupa'nın son muntazam daimî ordusu Macar Krallığı'nındır. Bunlara "karakartallar" denirdi, ki Macar varidatını, hazinesinin kökünü kurutan bir ordudur bu. Ağustos 1526'da, Mohaç Meydan Muhaberesi'nde, bu devlet ve ordu ortadan kalkmıştır. Avrupa için önemli bir ağırlık unsuru yok olmuştur böylelikle. Bir zamanlar Mukaddes Roma Germen tacını giyen Macaristan, o büyük Macaristan bir anda yok olmuş, yerini Türkler almıştır. Şimdi bunun yaratacağı boşluğu ve dehşeti tahmin etmek güç değildir.

Avrupa'da güç dengesi

Macar tacının üzerinde hak iddia eden Avusturya Büyük Dukalığı ve arkasındaki Alman İmparatorluğu, bu konuda Türklerle uzun bir çatışmaya girmiştir. Fakat 1526-1550 tarihleri arasında bugünkü Macar Cumhuriyeti'ni kapsayan Budin eyaleti Osmanlı tahtına bağlanır. Romanya'da kalan Erdel de, yarı müstakil bir eyalet statüsüyle Osmanlı tahtına dâhil olur. Bir de o zamanki Macaristan'ın, bugünkü Slovakya'da kalan bir arazisi vardır; Slovakya, eski Macaristan'ın toprağıdır. Avusturya Habsburgları'na intikal etmiştir. Fakat bütün XVI. asır boyunca, Osmanlı baskısı orada da hissedilecektir. Slovakya'da belli kaleler ve bölgeler, Osmanlılar tarafından ya fethedilmiştir ya da üzerlerine akınlar yapılmaktadır.

Osmanlı, XVI. yüzyıl boyunca, Orta Avrupa'da hâkim bir kuvvet durumundadır. Hiç şüphesiz ki bu, bütün Habsburg ülkeleri için bir tehlikedir. Zaman zaman Polonya da bu korkuya kapılmıştır. Fakat yine de Rusya ile çatışmasında Osmanlı'nın yanında yer almıştır. Yine bu dönemde Habsburg ligasından, yani İspanya ve Avusturya-Almanya blokundan korkan Fransa da Osmanlı'nın yanında yer alır.

XVII. yüzyıla geçerken şunu açıkça görüyoruz: Osmanlı'nın askerî gücü ve teknolojisi henüz üstün durumdadır. Bu üstünlük dolayısıyladır ki, Girit henüz Osmanlılar'da olmamasına rağmen, Doğu Akdeniz hâkimiyeti Türklerin elindedir. Osmanlı rakipsiz ve büyük bir devlettir. Bloklardan söz edecek olursak, Batı'da bir İspanya bloku vardır. Diplomasisiyle, teknolojisiyle, hatta modası, ev düzeni ve dekorasyonuyla Avrupa'nın hâkimidir. Doğudaysa, kesinlikle bir Türk hâkimiyetinden söz edilir. Osmanlı, bu hâkimiyeti, ateşli silahları çok iyi kullanan teknolojisiyle gerçekleştirmiştir. Doğuda, İran'la olan rekabetine rağmen İslam dünyasına üstünlüğünü kabul ettirmiştir. Hicaz'ın, hac yollarının kontrolü Osmanlı'dadır. Osmanlı o kadar güçlüdür ki, bugün müstakil olan bazı Afrika devletleri, o dönemde Osmanlı tarafından yönetildiklerini bile ileri sürmektedirler. Niçin? Çok açıktır. Demek ki İslam dünyası, Türklerin hanedanı ile aynileşmiştir.

Osmanlı İmparatorluğu bu açıdan karizmatik bir hanedana sahiptir. İlahî vasfı olan bir hanedan haline dönüşmektedir. Bunun üzerinde durmak gerekir. Hilafetin Türklere ait olamayacağı, XIX. ve XX. yüzyılda yaygın bir düşüncedir. Denmektedir ki hilafet, peygamber soyundan olanlara, Kureyşlilere aittir. Bu, Arap kaynaklı bir görüştür. Fakat pratikte fazla taraftar bulmamıştır. Çünkü kılıç ve kuvvet Osmanlı'nın elindedir. Bu güç ve otorite asırlar boyu çok iyi kullanıldığı/yayıldığı için, Osmanlı saltanat makamı bütün bir İslam dünyasında hâkimiyetin menşei olarak tanınmıştır. Herhangi bir yerel hükümdar bile, meşruiyyetini sağlamak için Osmanlı hanedanına tabi olmak yolunu seçmiştir. Bu Batı Afrika'daki bir kabilenin reisi için geçerli olduğu gibi, Kırım Hanları için de böyle olmuştur ve keyfiyet Osmanlı hanedanının meşruiyyetini göstermektedir.

Osmanlı İmparatorluğu'nu XVI. ve XVII. asır boyunca meşgul eden iki olay vardır: Bunlardan birisi, bitmek bilmeyen Avusturya savaşlarıdır, ikincisi de meşhur İran harpleridir. Avusturya savaşları kısa fasılalarla devam etmiştir. Burada büyük bir sorun çıkmamıştır. Osmanlı harp teknolojisi Avrupa savaşlarında üstün çıkmıştır. Kanuni Sultan Süleyman'ın Zigetvar Seferi'nden sonra da birtakım kaleler, mesela Sultan III. Mehmet devrinde dahi fethedilmiştir. Osmanlı gücü Tuna'yı aşmış, bugünkü Çekya'nın sınırlarına dayanmıştır.

Doğudaki İran harpleri için ise aynı şeyi söylemek mümkün değildir. Yavuz Selim'in indirdiği nihaî darbeden sonra Kanuni Sultan Süleyman Han, iki kere İran seferi yapmak zorunda kalmıştır. Bunlardan ikincisinin sonucu 1555'te İranlılar'la yapılan Amasya Antlaşması'dır. Bu antlaşmada "muahede" lafı geçmektedir. Genellikle Osmanlı, Karlofça'ya kadar "ahidname" dediğimiz tek taraflı bir barış metni verir. Karlofça'da ise karşılıklı olarak eşitliği, bağımsızlığı, tavizi ifade eden bir hukukî terimi kabullenir. Çünkü Karlofça, tam anlamıyla bir anlaşmadır, antlaşmadır, karşılıklı sözleşmedir. Bunun getirdiği mükellefiyetler ve kolayca bozulmayacak esaslar içerir. Demek ki o tarihe kadar, muahede değil, ahidname yapılmaktadır.

İran harpleri, Osmanlı ordusu için son derece yıpratıcı olmuştur. Çünkü bu savaşlar, çok sorunlu bir coğrafyada cereyan etmiştir. Doğu Anadolu'yu gözünüzün önüne getiriniz; sınırın öbür tarafına geçildiğinde, durum daha da vahimleşiyor. Bazen kilometrelerce gidersiniz; ne bir su kuyusu, ne bir orman, ne de bir köy bulursunuz. İşte savaş buralarda geçmiş; bazen donanım ve mühimmat orduya zamanında yetiştirilememiş, asker çok zor durumda kalmıştır. Maaş ödenememiş, açlıkla karşı karşıya kalınmıştır, ki bu sebeple, Tebriz yağma edilmiştir. Bu durum Osmanlı askeri için sık rastlanan bir şey değildir.

Tarihimizde Yavuz Sultan Selim, Kanuni Sultan Süleyman, bilhassa IV. Murat istisna olarak anılmalıdır. Bunlar hakikaten zor şartlarda, uzun harpleri, seferleri yürütebilen önemli mareşallerdir. Bunu bilmek gerekir. Maalesef bizim tarihimizde, bu hükümdar portreleri yeterince ciddiyetle çizilmiyor. Daha da kötüsü şu: Büyük edebiyatçılar, romancılar bu anlamda tarih çalışmıyorlar. Oysa bu çok önemli tarihî şahsiyetler, edebiyatın o incelmiş diliyle, romanın o derinlikli dünyası içinde verilebilir, tarihî bir şahsiyet olarak portreleri çıkartılabilir. Tarih, tiyatromuz ve sinemamıza yeterince konu olamıyor, istenen derinlikte ve sahihlikte işlenmiyor.

Bugünkü Batı medeniyeti ile aramızdaki farklardan biri de budur. Biz yaşananları, koca bir tarihi unutuyoruz. Bırakın koca tarihi, yakın tarihimizi de bilmiyoruz. Yaşıyor, hemen sonra unutuyoruz. Tasavvur ve tahayyül edemiyoruz. Büyük yazar ve romancılarımız, bir Fatih, bir Yavuz Selim, bir Kanuni portresini çıkaramıyor; tarihçiler de bunu yapamıyor. Bunun büyük bir eksiklik olduğunu bilmemiz gerekiyor. Mesela IV. Murat, ne kadar ilginç bir karakterdir. Hiçbir usta romancının bigâne kalamayacağı bir dünyası vardır. İçkiyi seven, son derece şedid ve garip tercihleri olan bir hükümdar olarak çizilir. Bu tarz bir portrenin doğru tarafları olsa da bu, şahsiyetin bütününü gölgelememelidir.

Sadrazamın Divanı

Bu portre bu haliyle çok eksiktir. Zira IV. Murat, çok daha başka vechelere sahip bir portredir. Kaosa doğru giden Osmanlı nizamını, şiddetle ayakta tutma yoluna gitmiştir. Eğer saltanatı biraz daha uzun sürebilseydi, Osmanlı toplumunda içtimaî ve teknik bakımdan bir modernleşme başlatabilirdi. Politikalarından bu anlaşılıyor. Şediddir, ama son derece de ince, edebî zevkleri ve bilgisi vardır. Ziraî alanlarda yenilikler yapmak gibi bir niyet taşıdığı anlaşılmaktadır. Son derece iyi bir mareşaldir. Orduyu başarıyla Doğu seferlerine götürebilmiş ve getirebilmiştir. Bağdat'ı İranlılardan, II. Fatih unvanını hak edecek şekilde geri almıştır.

II. Osman da çok önemli reformlar başlatabilecek bir hükümdardır. Ailenin, toplumun ve bireyin hayatını etkileyecek görüşlere sahiptir. Ne yazık ki saltanatı çok kısa sürmüş, kanlı bir ayaklanmayla iktidarı sona ermiştir. Bu hükümdarların hayatları birçok romana malzeme verebilecek zenginliktedir.

Osmanlı'nın Çöküşü

Yeri gelmişken Osmanlı İmparatorluğu'nun çöküşünü açıklamaya çalışan görüşler üzerinde de durmak gerekiyor. Bu çöküşü açıklamaya çalışan görüşlerden biri şunu der: İslam, yoruma kapalı, bağnaz bir döneme girmiştir. Bu yoruma şu soruyu sormak lazımdır. İslam'ın XVI. yüzyıldan evvelki durumu neydi ve ondan sonraki gelişmeler ne olmuştur?

Bu konularda maalesef yeterince bilgi sahibi değiliz. Şüphesiz ki her zaman bağnaz dinî gruplar olmuştur. Mesela bu gruplardan birine göre, Hz. Peygamber'in çağında mevcut olmayan âdetler, onun zamanında kullanılmayan her şey mekruhtur. Buna müzik, hatta makam ile ilahî okunması dahi girer. Bunların bile yasaklanması istenmiş, hadiseler çıkarılmıştır. Ama devlet bu gibi hareketleri bastırmıştır.

Nitekim Köprülü Mehmet Paşa, Üstüvani Mehmet Efendi'nin etrafında teşekkül etmiş bu takımı, Fatih Camii'nde çıkaracakları karışıklığı, bir tabur yeniçeri göndererek bastırmakta beis görmemiştir. Bu adamları dışarı atmak için cami bile basılmıştır. Bu gibi dinî grupların cemiyette bir kaos, belirgin psikolojik travmalar yarattığı gerçektir. Ama nihayette bu durumu bir cemaatin, bir kavmin, bir devletin bütün hayatına teşmil etmek ve önemli gelişmeleri bununla açıklamak pek mümkün değildir. Tarihte böyle ani ve keskin gelişmeler ve çöküntüler var mıdır, bu da tartışılır. Aslında tarihçilikte bu gibi durumlara aşırı anlam yüklemekten kaçınmalıyız. Zira toplumun hayatı ve tarihi, ferdin hayatına benzemez. Adam düne kadar çok zengindir; bir gün kumar oynar ve bütün parasını kaybedip rezil olur. Oysa bir toplumun bu gibi iniş ve çıkışları yaşaması çok kolay değildir. Toplum bir günde çökmez. Gerçi, büyük ümitlerle girilen ama kaybedilen bir harp, toplumu derinden etkiler, ancak bu bütünüyle toplumun çökmesi anlamına gelmez.

II. Dünya Savaşı'ndan önceki Almanya'ya bakın. Büyük bir Almanya vardır. Bilimde, sanayide, ekonomide son derece kuvvetli, sağlam temellere dayanan bir bürokrasi... Nazi iktidarı onu 10 sene içinde yerle yeksan ediyor. Ama sonra bazı önemli kayıplara rağmen tekrar dirilebiliyor. Çünkü toplum, kolay kolay çökmez. Bu yüzden, "*İslam dini, hayata/her şeye kapandı, dolayısıyla Osmanlı çöktü*" yorumu çok sathîdir.

Kadınlar Saltanatı İddiası

Osmanlı İmparatorluğu'nun çöküşünü, XVI. yüzyıldaki harem hayatıyla izah edenler vardır. Bu görüşe göre, bu dönemde bir *kadınlar saltanatı* söz konusudur. Ortalığı, Hürrem Sultan'ın entrikaları sarmıştır. Öyle bile olsa, bu XVI. yüzyıla ait bir harekettir. II. Selim Devri'nde böyle bir entrika hareketi pek göze çarpmaz, devam etmez. Bu hareket, III. Murat Devri'nde Nurbanu Sultan ve Safiye Sultan gibi hatunların etrafında gelişir, ki bunlardan birisi, Venedik'in asil ailelerinden gelen bir kızdır. Esir olarak saraya girmiştir. Güzelliği ve aklıyla Valide Sultanlığa yükselmiştir. Ancak bu da kısa sürer. Kadınlar sultasını ifade eden bu müessese, devleti yıkıyor idiyse, bu sakat müessesenin devam etmesi gerekirdi. Niye o kadar devam etmiyor? Zira arada kesintiler vardır. Mesela I. Ahmet devrinde bu tür bir durum söz konusu değildir. Üstelik de I. Ahmet'in eşi Kösem Sultandır. Kösem Kadın entrikacı tiptir. O zaman niye bu devirde uslu uslu oturmuştur? Bunu izah etmek güçtür.

Kösem Sultan, kocası I. Ahmet'in ölümünden sonra, Yeni Saray'dan Eski Saray'a gönderilir. Şehzadeler takımı daimî olarak sarayda muhafaza altındadır. XVII. yüzyılda, yani sancağa çıkma işi bittikten sonraki dönemde Eski Saray'da öylece beklemiştir. Beklediği zaman yapılan entrikalar var mıdır? Varsa nedir? Sonra, IV. Murat çocuk yaşta tahta çıkınca Kösem Sultan, genç bir Valide Sultan olarak tekrar Yeni Saray'a gelir. Oysa IV. Murat, annesinin entrikalarına müsaade etmez.

Sonra Sultan İbrahim'le tekrar bir Kösem Sultan ortaya çıkar. Kösem Sultan meşum bir valideydi. Ama öldürüldüğü gün İstanbul'da bir sürü insan aç ve bir sürü gelin adayı fakir kız çeyizsiz kalmış. Bu fukaralar Valide Sultan'dan geçinirlermiş. Kösem Sultan'ın idamından sonra IV. Mehmet'le biri daha çıkıyor: Hatice Tarhan Sultan (IV. Mehmet'in annesi) Tarhan Sultan ve Kösem Sultan'dan sonra kadınlar kabuklarına çekiliyorlar, ondan sonra yoklar.

Hasekilerin içinde Gülnuş Emetullah gibi uzun, mutlu hayat sürenler de vardı. Gülnuş Emetullah Sultan IV. Mehmet'in yanından ayırmadığı sevgili hasekisiydi: II. Mustafa ve III. Ahmet'in annesi olduğundan uzun süre Valide Sultan oldu. Halk onu severdi; Üsküdar'daki Osmanlı baroku üslubundaki hoş camii (Yeni Valide Camii) o yaptırdı, mezarı da oradadır.

VİYANA KUŞATMASI:
YENİ BİR OSMANLI'YA DOĞRU...

Osmanlı tarihinin önemli dönüm noktalarından biri hangi açıdan baksak Viyana Kuşatması'dır. Viyana Kuşatması'na kadar Osmanlı ordularının askerî üstünlüğü, teknolojisi ve kendine has disiplini rakipsiz durumdadır.

Niçin?

1618-1648 arasında, bugünkü Avusturya, Almanya ve Çekoslovakya'nın Bohemya kısmı o zaman Almanca konuşulan bir sahaydı. Bu yerleri, Otuz Yıl Savaşları denen korkunç bir facia kaplamıştı. Alman İmparatorluğu'nun Protestanlar ve Katolikler arasındaki iç savaşı, kısa zamanda Avrupa Savaşı'na dönüştü.

Bu facia, Protestan-Katolik çatışması gibi görünse de, öyle değildir. Katolik Fransa, Protestanların yanında Katoliklere karşı savaşmaktadır. İsveç, Protestan olarak savaşa müdahale ederek, artık Avrupa politikasına aktif bir şekilde katılmaktadır; İsveç'te Kral Gustav Adolf zamanıdır.

Şehirler, kendilerinden olsun olmasın, gelen orduların karşısında tir tir titremektedir. Çünkü ordular bir çekirge sürüsü gibi şehirlerden geçer. Bu ordular doğrudan imparator veya imparatorun işi ihale ettiği bir dük tarafından toparlanır. Gelen askerler ekseri çocuk ve karılarıyla beraberdir. Otuz ila yüz bin kişiden oluşan ordular, üniforma dahi bulamazlar. Mevcut zaten asker sayısının çok üstündedir. O kadar imkânsızlık içindedirler ki, ancak geçtikleri yerleri yağmalayarak varlıklarını sürdürebilirler.

Otuz Yıl Savaşları sırasında ilginç bir diplomasi geleneği vardır. Bu geleneğe göre, kimse kimsenin ayağına gitmeyecektir. Taraflar görüşebilmek için olmadık yerler tespit etme yoluna giderler bundan sonra. Kaleler bulunur, bulunan kaleye farklı giriş kapıları açılır. Sırf heyetler birbirlerinin ayağına gitmiş olmasın diye, ateşkes görüşmeleri haftalarca sürer, savaşlar uzar.

Otuz Yıl Savaşları'ndaki orduların yağmacılığının yaşandığı bu ortamda, Avrupa'da Türk ilerleyişi de daha anlaşılır hale gelir. Çünkü Türk ordusu menzillerden bir disiplin içinde geçmektedir. Geçtikleri yerleri yağmalamak gibi bir huyları yoktur. Bu arada, askerlerin meyve koparttıkları dallara o nispette para bağlaması gibi bir söylentinin doğru olmadığını söyleyelim. Böyle hareketlere teşebbüs edenler ciddi biçimde cezalandırılırlar ve bu adil davranmak gibi bir duygudan kaynaklanmamaktadır. Şöyle düşünülür: Eğer asker geçtiği yerleri yağmalarsa, sonradan tekrar geçilecek ve ordunun iaşe kaynağı olacak bu yerler elverişsiz hale gelecektir.

Köylüler, Osmanlı ordularının ihtiyaçları için, bir vergi şekli olarak "sürsat" dediğimiz sorumlulukla mal pazarlar. Bunu bölgenin kadıları düzenler. Ayrıca ordunun yanında, bir ordu esnafı takımı yürür; bunlar kayıtlı, defterli, disiplinli ve sorumlu insanlardır. Ordunun disiplini ve konaklayacağı yer bellidir.

Güzergâhtaki köprüler ve suyolları tamir edilir. Bizim bugün bilmediğimiz askerî bir teknoloji kullanılır.

XVII. asırda Osmanlı orduları, karşılarında Barok devrinin teknolojisini, Barok tarzda oluşturulmuş kaleler bulurlar. Kaleler, hususi burçlarla tahkim edilmiştir ve ateşli silahlarla savunulmaktadır. Dolayısıyla bu gibi kalelerin kuşatılması ve muharebeler, bir kılıç-kalkan edebiyatıyla değil, üstün bir askerî teknolojiyle yapılmayı gerektirmektedir. İşte Viyana Kuşatması bu şartlarda yapılır.

Osmanlı Savaş Düzeni

Baştaki mareşalin liyakatsizliği dışında, Viyana'nın alınmaması için hiçbir sebep yoktur. Mareşal, orduya, ordudaki yardımcı kuvvetlere hâkim değildir. Bunun yanında, Kırım Hanı ile çatışmıştır. Protokol meselesi halledilememiştir. Aslında padişahın bulunmadığı yerlerde vezirler ve sadrazam ile yardımcı kuvvetlerin başı olan Kırım Hanı arasında hep bir gerilim görülür. Bu, 1711'de, Prut'ta da böyle olmuştur.

Osmanlı savaş düzeni, padişahın da muharebeye gitmesini öngörüyordu. Bu, çok açıktır. Padişahın olmadığı yerlerde mutlaka aksaklıklar çıkmıştır. Gerçi padişahın bulunmadığı yerlerde büyük serdarların ve vezirlerin önemli işler yaptıkları da olmuştur. Çünkü Osmanlı ordusundaki başkomutanın yetkileri sonsuzdur. Para basma yetkisine bile sahiptirler. Bunun örnekleri vardır: Özdemiroğlu Osman Paşa, İran seferinde, kösele üzerine sikke kestirmiş, bu para çarşıda geçerli olmuştur. Serdar-ı ekrem bir kaleyi kuşattığında bunu merkeze sormaz. Kale fethedildikten sonra merkeze haber verilir. İşte XVII. asırda Avrupa orduları bu tarz bir askerî yapılanmaya karşı pek duramamışlardır. XIII.

ve XIV. Louis Fransası'na, Prusya Almanyası'na, Katerina zamanının Rusyası'na kadar Osmanlı, teknolojisi gelişmiş, düzenli ordusu bulunan bir imparatorluktur. Gerçi XVI. asırda aksaklıklar başlamıştır, ama düzen bir asır daha varlığını sürdürmüştür. Bunu Viyana Kuşatması'nda görebiliyoruz. Barok tekniğine rağmen, Osmanlı ordusu bu engeli aşabilecek durumdadır. Ancak stratejik ve taktik hatalar sebebiyle yenilgi kaçınılmaz olmuştur.

Osmanlı ordularının temel bir özelliği ricat etmeyi, geri çekilmeyi bilmemesidir. Savaş tekniğinde geri çekilmeyi Machiavelli önemle belirtir. Roma orduları, düzenli bir biçimde geri çekilmeyi ilk uygulayan ordudur. Bizim ordu bunu bilmiyordu. Ordularımız ricat etmeyi ne zaman öğrenecektir? Bu ancak modern harb teknikleriyle tanışıldıktan sonra mümkün olabilecektir. Türk ordusu ancak İstiklal Savaşı yıllarında düzenli çekilmeyi yapabilmiştir. Bu çok önemli bir teknik değişikliktir. Zira ilerleme, saldırı ve savunma kadar, ricat da askerî bir harekettir. Geri çekilme, orduyu telef olmaktan kurtarır, yardımcı kuvvetlerin toplanmasına fırsat verir.

Burada başka bir noktaya da dikkat çekmekte fayda vardır. Viyana Kuşatması yıllarında Avusturya, Alman İmparatorluğu'nun bir parçasıdır; o zaman Avusturya diye bir şey söz konusu değildir. Avusturya grandükleri de diğer Alman devlet reisleri gibi (büyük düka, başpiskopos veya serbest şehir temsilcileri) Alman imparatorlarını seçmektedir. Genellikle Habsburglu Avusturya büyük dükaları aday gösterilip imparator seçilir. Bunun çok az istisnası vardır. Mesela Macar Kralı Zigismund bunun bir istisnasıdır. Bu yüzden Avusturya İmparatorluğu tanımlaması yanlıştır; bu bir Alman İmparatorluğudur ve söylendiği gibi, bu yüzden tarih boyunca Almanya ile bir dostluğumuz da yoktur.

Türk ilerleyişine karşı Avrupa'da propagandist bir edebiyat geliştirilmiştir. Avrupa tarihinde ilk kez el ilanları ve küçük risaleler basılıp dağıtılmıştır. Matbaa ilk kez geniş ölçüde kullanılır olmuştur. Daha önceden de matbaalarda kitaplar ve haritalar basılmıştır, ancak yine de matbaa çok yaygın değildir. Matbaa, ilk kez Türk ilerlemesine karşı yaygın bir şekilde kullanılmış, adeta bir kitle iletişim aracına dönüştürülmüştür. *"Türkler nasıl çocuk keserler, kadınları nasıl öldürürler, adamları nasıl kesip kızartırlar"* gibi bir edebiyatı yansıtan uyduruk gravürler kullanılmıştır. Bu sayede argo diyebileceğimiz bir edebiyat yayılmıştır.

Şunu söyleyebiliriz: Anti-Türk edebiyat, Protestanlarda Lutherci bir görüşle başlamıştır. Protestanlar anti-Türklük ve anti–Müslümanlık söylemiyle Katolikleri bastırmışlar; bu üslûbun başını da Luther çekmiştir. Luther okul kitaplarımızda liberal ve açık fikirli, dini yeniden yorumlayan biri olarak geçer. "Dinde reform" sözü kimsenin ağzından düşmez mesela. Ama unutulmasın ki, Luther anti-semitizmin babasıdır. Yahudiler'in nasıl toplanacağına ve mallarının nasıl yağmalanacağına dair projeler Luther'in yazdıklarında uç verir. Kadın karşıtlığı da Lutherci bir görüştür, bunu da söyleyelim. Papazlarının evlenmesine müsaade ediyor diye Luther'i liberal biri olarak görmeyelim. Zira çok kadın karşıtı bir din görevlisidir.

Almanca konuşulan bölgelerde, müthiş bir anti-Türk edebiyatı yerleşmiş, zaman içinde bu müesseseleşmiştir. Bir Türk tipi çizilmiştir mesela. Bu XVIII. yüzyıl Avusturya halk resimlerinde görülür. Türk; çok kurnaz, çok zeki, şeytan gibi biridir. İspanyol aslana, İngiliz ve Alman ata, Türk ise tilkiye benzetilir. Bu çok manidar bir yaklaşımdır. Rus Moskofu gibi eşeğe değil, tilkiye benzetilir Türkler. Daha da ilginci, böyle bir tabloda Türk ile Yunan aynı kişilikte görünürler. Halk kitleleri, Yunan ile Türk'ü ayırt edememektedir. Ortodoks kilisesine atfedilen birtakım unsurlar ve karalamalar Müslümanlık için de söz konusu olmuştur. Öte yandan Müslümanlık, Türklük ile bir görülmüştür.

Viyana Kuşatması ve Batılılaşma Düşüncesi

Bu yüzden Viyana Kuşatması, sırf askerî ve iktisadî sonuçları itibariyle değil, yanı başında sürüklediği kültürel doku ve yaşam biçimi itibariyle de çok mühimdir. Bu kuşatma, Doğu-Batı arasında onulmaz ayrımlar oluşturmuştur ve bu ayrımlar bugüne kadar devam etmiştir. Devam etmiştir; çünkü Türkiye, XIX. yüzyıldan beri, kendini Batılı olmaya, Batı toplumları içinde bulunmaya, giderek onların yaşam biçimini kabullenmeye hazırlamıştır, hazırlamaktadır. Aynı yaklaşımı öbür tarafta göremezsiniz. Yaklaşma ve taviz verme konusunda Türkiye'nin gösterdiği aşırı gayret, öbür tarafta yoktur.

Batılılaşma sorunu nedir? Batılılaşma, hayatımızın çok önemli bir safhasını teşkil eder. Hem çok övülmüş, hem büyük bir sorun olarak algılanmıştır. Ama bu Türklere has bir şey değildir. Mesela Batılılaşma için İran'da "garbzede" yani Garb felaketine uğramış insanlar anlamında bir terim kullanılır. Yahut Rusya'nın Batılılaşmaya tepkisi, Osmanlı'yı aratacak ölçüdedir. Aksakov'un şiiri, "Dönelim" diye başlar, Büyük Petro öncesi eski Rusya'ya dönelim, der.

Bu XIX. yüzyılda söyleniyor. Büyük Petro reformları üzerinden zaman geçmiş, Büyük Katerina dönemi eskide kalmış, Rusya artık Batı medeniyetinin ayrılmaz bir parçası olmuştur. Aksakov bu şiiri yazdığında Rus edebiyatının büyük yazarları vardır. Onlarsız bir Avrupa medeniyeti düşünülemez. Dostoyevski, Tolstoy ve Puşkin olmadan Batı medeniyeti düşünülebilir mi? Hayır! Ama yine de bu şiir yazılıyor ve 'Dönelim' deniliyor. Çünkü birtakım sorunlar vardır. Sol eğilimli kimi Ruslar, eski feodal Rusya döneminden kalma sistemi, geleceğin sosyalizmi olarak görüyorlar. Lenin gibileri bu yüzden Batılılaşmaya karşıdır. Düşünebiliyor musunuz, hem Hıristiyan, hem de mimarisiyle, diliyle, hayat tarzıyla ve zihniyetiyle Batı medeniyetine bizlerden çok daha yakın Rusya'da, Batılılaşma konusunda ikirciklenme vardır.

İşte bu yüzden Batılılaşma konusu, son derecede zor bir meseledir. Türkiye, Batı karşısında nasıl bir vaziyet alacak, hangi safhalardan geçecek, kültürel değişimini nasıl tamamlayacak? Politik bakımdan bunu nasıl tamamladı? Batı'dan gelen kadrolar, Türkiye'de neler yaptı? Mesela 18 asırdan beri, hasseten XIX. yüzyılda Macarlar ve 1848 ihtilali esnasında Osmanlı'ya sığınan Polonyalı mülteci kalabalıkların tarihi ayrıntılarıyla incelenmelidir. Bu soruların cevaplarını aramalıyız.

BATILILAŞMA NEDİR?

Batılılaşma, pozitivist bir bakışla, katı bir sebep-sonuç ilişkisi içinde anlaşılamaz. Ama ne yazık ki ülkemiz Türkiye'de, hem Batılılaşma hem de tarih, kaba bir pozitivizmle değerlendiriliyor. Bu çok yanlıştır. Tarihin kendine özgü koşulları vardır. Bazı olaylar kaçınılmaz biçimde vuku bulmuş olabilir, ancak bütün bir tarihi ve gelişimleri determinizmle açıklamak doğru değildir. Tarihte, fizikî evrende olduğu gibi değişmez kanunlar yoktur.

Türk tarihinin kendine özgü evrenini incelerken, bazı şeylere bakmamız gerekiyor. Türk İmparatorluğu, İslam dünyasının Batı'ya doğru ilerlemiş uç noktası, ileri karakoludur. Osmanlı, M.Ö. VI. asırdaki Pers savaşlarından beri, Doğu'nun Batı'ya uzanmasının en somut, en uzun ve en kuvvetli örneğidir. Doğu neredeyse ilk kez Batı'yla karşılaşmış; ilk karşılaşma, dolayısıyla ilk çatışma gerçekleşmiştir. Osmanlı İmparatorluğu'nun tarihi, bir anlamda Doğu ve Batı'nın, İslam ve Hıristiyan dünyasının diyalog kurmasının tarihidir. Bu, çok önemli bir olaydır ve hiç kimse bu diyalogun sorunsuz olduğunu iddia edemez. Çünkü bu tarihin buruk safhaları vardır, büyük çatışmalar ve gerilimler yaşanmıştır.

Şunun farkında olmalıyız: Batı da değişir, yükselen her şeyin inişi vardır. Batı medeniyeti de bir yerde duraklayacak ve gerileyecektir, ki bugün herhalde bu dönemini yaşıyor. Uygarlıkların birbirlerini tümüyle benimsemeleri, her konuda örtüşmeleri mümkün değildir. Dolayısıyla Doğu-Batı, yani Türkiye-Avrupa ikilemini belirli safhalar içinde görmek gerekiyor.

Osmanlı İmparatorluğu, Batı'nın askerî ilerlemesi karşısında kendini toparlanmak zorunda hissetmiştir. Bu dünyaya karşı kendini savunabilmek için askerî reformlara gitme durumunda kalmıştır. XVIII. yüzyılda durum nedir? Osmanlı, gelişmiş bir topçulukla karşı karşıyadır. Buna intibak edebilmek için, ağır bir mühendislik çalışmasına girmesi gerekir. Barut imalatını mükemmelleştirmelidir. Hafif silahlarla hızlı seyir mühimdir. Başka ne lazımdır? Süvari birlikleri için veteriner lazımdır, yaralı askeri gözden çıkaramazsınız, bu da cerrahlık ve tabibliği gerektirir. Dikkat edilirse, Türkiye'de en çok modernleşen dalların başında mühendislik, tıp ve veterinerlik gelir. Durum şudur: Osmanlı Batılılaşması, zihnî bir dönüşümden çok, reel durumun bir sonucu olarak şekillenmiştir; Batılılaşma ve modernleşme fonksiyonel olmuştur. Bazılarının iddia ettiği gibi, Osmanlı Batılılaşması, pozitivist ve akılcı bir saikle olmamıştır. Öyle olsaydı, bu daha çok modern hukuk, felsefe, tarih ve dil okutan okulların açılmasıyla görünürlük kazanırdı. Osmanlı'nın maksadı, Batı medeniyetini öğrenmek, benimsemek ve hele ona dönüşmek değildir.

Romanist Hukuk Sistemine Doğru

Dediğimiz şudur: Osmanlı Batılılaşması, askerî bir modernleşme olarak belirmiş, sonra süreç devam etmiştir. Askerî teknolojinin hemen sonrasında, idarî ve malî mevzuatın düzenlenmesi gerekmiştir. Çünkü XVIII. yüzyılın merkeziyetçi ordusunu beslemek, artık eski malî tekniklerle, vergilemelerle ve hazine harcamalarıyla mümkün değildir. İş, hukuka gelmiştir. Hukuk reformu kendini dayatmıştır. Yani *"Batı hukukunu alalım da Batılı olalım"* denilerek, bir düzenlemeye gidilmemiştir. Mesela bizde Romanist hukuk sisteminin adaptasyonu, kabulü ve uyarlaması XIX. yüzyılda başlamıştır. İlk önce ticaret hukukuyla başlanmış, sonra ceza kanunnameleri gelmiş, bunu idare hukuku mevzuatı takip etmiştir. Medenî hukuk sahasındaki değişiklikler çok sonradan kendini hissettirmiş, Medenî Kanun'un kabulü Cumhuriyet devrine kalmıştır.

Bu konuda İslam dünyasının Türkiye'ye karşı geliştirdiği tenkitler asılsızdır, hiçbir geçerlilikleri yoktur. Çünkü tek bir İslam ülkesi yoktur ki, benzer sebeplerle Romanist hukuk sistemine önemli dallarda adımlar atmış olmasın. Suudi Arabistan, İran, Pakistan, Endonezya... Hepsi benzer sebeplerle kendilerini bu hukuka açmışlardır. Çünkü dünya ile ticaret yapıyor, aynı ilişkiler ağı içinde yaşıyorsunuz. Bu, kendi hukuk sistemimizin ve medeniyetimizin bir yenilgisi de değildir; aynı dünyada yaşıyor olmanın gerektirdiği uyumluluk şartlarından biridir. Batılı da Doğulu da bunu yapmak durumundadır. Özellikle de ticaret bunu gerektirmektedir. Dolayısıyla Osmanlı Batılılaşması kaçınılmaz olmuştur.

Avrupa Kültürü ile Tanışma

Ancak hiç şüphesiz Batılılaşma ile birlikte, yani teknik anlamdaki modernleşmenin sonrasında Avrupa dilleriyle, bu diller üzerinden Avrupa kültürüyle tanışılmış, problem ve tartışmalar da bu aşamadan sonra başlamıştır. Batı felsefesi, edebiyatı ve yaşam tarzı bu dönemde Türkler arasında karşılık bulmuştur.

Sürecin bu noktasında büyük sorunlar başlar. Doğaldır bu, çünkü Batı'nın felsefesiyle karşı karşıya kalıyor, ondan etkileniyorsunuz. Aslında Batı felsefesi Doğu'nun yabancı olduğu bir düşünce sistemi değildir. Aristo İslam dünyasında bilinen biridir, İslam dünyasında itibar gören büyük bir filozoftur. Platon da öyle... Ortaçağ'ın Müslüman milletleri, İyonyalıları Batılılar kadar iyi bilirler. Hatta daha iyi ve daha erken öğrenmişlerdir.

Bu devirde Doğu'da cereyan eden, başka ve enteresan bir olaydır. Doğu, Batı'nın modern edebiyatını benimsemeye başlıyor, giderek kendini Batı'nın hayat tarzına uyarlıyor. İşte bu çok önemlidir. Edebiyat Şark'ta büyük kitleleri içine çeken bir şeydir. Şark'ın Garplılaşması, felsefe okuyarak olmaz. Şark'ta Garp zihniyetinin yerleşmesi romanla, sonra gazeteyle olur. Bunun getirdiği tercümelerle ve taklitlerle olur. Şark dünyası bu konuda Garp'a karşı panzehirini hazırlayamamıştır. Gönül isterdi ki Rus İmparatorluğu'nun XIX. yüzyılda başardığını İran ve Türkiye de başarabilsin ve bu ikisi daha sağlıklı bir Batılılaşma sürecini yaşayabilsinler.

Türk Batılılaşması'nı 'sömürgeleşme' olarak yorumlayanlar vardır. Osmanlı İmparatorluğu 1838 Ticaret Antlaşması'yla, birtakım gelirlerini ve ziraî vergilendirme kaynaklarını Batı'ya teslim etmiştir. Bu ihanetle açıklanıyor. Değildir! Çünkü Batı ile ticaret yoğun olarak artmaktadır. Bu evvelce kaçak olarak devam ediyordu; vergi dışı, kontrol dışı bir şeydi. 1838'deki Ticaret Antlaşması'yla bu durum, legalize edilmiş ve devletin kontrolüne alınmıştır. İktisadî olarak, bunlar hiçbir toplumun bigâne kalamayacağı şeylerdir. Bunları hainlikle yorumlamak doğru değildir. Ama ne yazık ki bu ucuz yorumlar ilgi görebiliyor. Dolayısıyla kitleler, tutarlı bir toplum ve tarih analizinden uzaklaşıyor.

Osmanlı Modernleşmesinde Mültecilerin Rolü

Batı medeniyetine yönelişte, Türk milletinin kendine has olanakları olmuştur. Şöyle düşünelim: Diyelim ki orduyu ve idareyi modernleştirmek için parayla adam tutacaksınız. Parayla tutulan adam size ne kadar hizmet verecektir? Vermeyecek, dönecektir. Bu, Büyük Petro Rusyası'nda önemli bir problemdi. Modernleşme çalışmaları dâhilinde Rusya'ya gelen insanların çoğu, maceraperestler, serseriler, yolsuzlar, bu işten çıkar sağlayanlardı.

Halbuki Osmanlı Batılılaşmasında böyle olmadı. Tarihin doğal seyri içinde bazı gelişmeler Osmanlılar'a yardımcı oldu. Mesela 1838'de Kossuth Layoş önderliğindeki Macarlar dayanamıyor, Avusturya hâkimiyetine başkaldırıp cumhuriyet ilan ediyor ve savaşmak zorunda kalıyorlar. Karşı taraf da buna seyirci kalmıyor. Avusturya ile sorunları olan İtalyanlar ve Polonyalılar da Macarlar'a yardım ediyor. Avusturya bunlarla baş edemeyince Rusya'yı yardıma çağırıyor.

General Paskiyeviç, ki çok acımasız ve güçlü bir komutandır, sınırdan içeri giriyor. Hedefinin ilk sırasında Macarlar yer almıyor, nedense onlara karşı daha sabırlı. Polonyalıları amansız bir şekilde takip ediyor. Macarları ve İtalyanları, Avusturyalılar cezalandırıyor. Avusturyalılardan ve Rusyalı generalden kaçanlar Osmanlı'ya sığınıyorlar.

Bizim topraklarımız, tarih boyunca mültecilerin sığındığı bir yer olmuştur. Macar bağımsızlık hareketinin önderi Ferenc Rakoçi'nin kuvvetleri de bize sığınmıştır, Büyük Petro'dan kaçanlar da. Bilinmektedir ki Kars ve Balıkesir civarında Rus köyleri vardır.

Polonya'dan ve Macaristan'dan kaçanlar da bize sığınıyor. Ancak Avusturya ve Rusya Osmanlı'ya baskı yapıyor, mültecileri geri almak istiyorlar. Osmanlı açısından zor bir durumdur bu. Ordusu henüz kuruluş safhasındadır. Bir de Mısır Valisi Mehmet Ali Paşa'nın oğlu İbrahim Paşa komutasındaki kuvvetlerin Kütahya'ya kadar ilerledikleri gün çok uzak değildir. Osmanlı buna rağmen direniyor, kendisine sığınanları geri vermiyor. Sığınmacılar bu fedakârlığı görüyorlar. Bundan olsa gerek, derin bir bağlılık hissi içinde kendilerini bu topraklara adıyorlar, ki bunlar, koyu Macar ve Polonya milliyetçileridirler, bunun için Avusturya'ya başkaldırmışlardır. Adeta kendileri için yapılmış fedakârlığı karşılıksız bırakmamak babında Türklük için Müslümanlığı kabul ediyorlar.

İşte Osmanlı bu sayede, sayısını bilmediğimiz nitelikli insanlar, modernleşmesinde vazife alacak kalifiye elemanlar bulmuş oluyor. Mesela bunlardan Konstantin Borzecky, Mustafa Celaleddin Paşa oluyor. İlk önce miralay, sonra tuğgeneral olup, Karadağ Savaşı'nda şehit düşüyor. Mustafa Celaleddin Paşa'nın topçulukta, bilhassa haritacılıkta çok büyük hizmetleri olmuştur. Diğerleri... Baron Stein, Ferhat Paşa; Seweryn Bielinsky, Serasker Nihat Paşa; Wladislaw Czaiskowsky, Muzaffer Paşa olarak hizmete girdiler. Bém, yani Murad Paşa, Tuna'nın sağ kolundaki kuvvetlerin komutanı, Czaikowski (Sadık Paşa) yeni kurulacak Kazak alaylarının komutanı olarak tayin edildi. Ferhat Paşa (Baron Stein) ise, İsmail Paşa ve Sefer Paşa (Kosiyevski) ile Kazak, Polonez alaylarıyla Kafkas cephesinde Ruslara karşı görevlendirildi.

Ayrıca bu sığınmacılar, birtakım köyler kurmuşlardır. Osmanlı İmparatorluğu'nun içinde Polonya ve Macar köyleri tesis edilmiştir ve bu köyler modern ziraati geliştirmiştir. Mesela Mithat Paşa gittiği vilayetlerdeki başarısını bu adamlara borçludur. Bu insanlardan teknisyen olanları, kanalların inşasını idare ediyor, yollar yapıyorlar. Bu sığınmacılar sayesinde Osmanlı birden bir teknokrat sınıfı bulmuştur. Tabii bu adamların Müslümanlıkları kendilerine özgü olarak kalmıştır; dini daha şehirli, daha kentli bir veche içinde algılamışlardır.

Görülüyor ki XIX. yüzyıl Türk Batılılaşması, dışardan, sonradan kendini Türkleştiren bir unsurdan yardım görüyor. Bu önemli bir unsurdur. İkinci unsur; memleket içindeki gayrimüslim cemaatlerin ve milletlerin durumudur. Bu da önemlidir. XIX. yüzyılda hiyerarşinin bozulmasıyla klasik kilise teşkilatı, bilhassa Rum Ortodoks kilise (patrikhane) hâkimiyeti gerilemiştir. Osmanlı İmparatorluğu, milliyetçi akımların doğduğu ve geliştiği bir dünya halini almıştır. Kökleri XVIII. yüzyıla kadar giden bu durum çok güçlü, çok yıkıcı bir süreçtir. Osmanlı ülkesinde milliyetçilik, çok yönlü, çok düşmanlı, çok çatışmalı olarak devam edecek ve yüz yıl geçmeden bütün ülke bir yangın yerine dönecektir. Yangının, bugün bile söndüğünü iddia etmek kolay değildir.

OSMANLI MODERNLEŞMESİ

Osmanlı modernleşmesi, sadece Türklerin tarihi açısından değil, bütün dünya tarihi için özgün bir olaydır. Çünkü ilk kez bir İslam İmparatorluğu, Batı'nın müesseselerini alarak var olma savaşı vermekte ve bu kısmî Batılılaşma, büyük sancılarla gerçekleşmektedir. Böyle bir imparatorluğun modernleşmesi sürecinde yaptığı atılımlar ve ortaya çıkardığı yeni kurumlar, sosyal bilimler için de önemli verilerdir.

Süreç şöyle gelişiyor: Osmanlı başta ordusunu modernleştiriyor. Arkasından malî sistemini modernleştirmek zorunda kalıyor. Merkezî ordu sistemini besleyebilmesi için bu kaçınılmaz oluyor. Bu, aynı zamanda imparatorluğun idarî sistemini modernleştirmesi ve merkezîleştirmesi anlamına geliyor. Zaten ideoloji buna müsaitti, taşrada merkezkaç diyeceğimiz başına buyruk gruplar zayıftı, hatta yoktu. Kurumsal bir feodaliteden de bahsedilemezdi. Arkasından, hukukta bir modernleşme zorunluluğu doğdu. Çünkü aynı ülke, dış dünyayla temas halindeydi.

Türk hukukunun modernleşmesi XIX. asırda başlar. Ceza Kanunnamesi'nde ve Ticaret Kanunnamesi'ndeki bu atılımlar, idare hukuku alanındaki düzenlemeleri ve yeni müesseseleri or-

Osmanlı Meclis-i Mebusanı

taya çıkarmıştır. Mesela Fransız Conseil d'Etat'sından (Danıştay) mülhem bir Şura-yı Devlet çıkmıştır. Bu müessese, kanunların uyumluluğunu, bir nevi hukuka uygunluğunu denetlemektedir. Bunun yanında, devlet harcamalarını kontrol etmek üzere Divan-ı Muhasebat kurulmuştur.

Nezaretler Kuruluyor

Bu kurumların hepsi Fransa'dan alınmış gibidir. Esas olarak Osmanlı merkeziyetçi idare geleneğiyle ve merkeziyetiyle uyum içinde olmalarından dolayı alınmışlardır. Bu yüzden değişim kolay olmuştur: Yazışma işlemini zaten yapmakta olan, hariçle ve süfera ile yazışmayı yürüten, Hariciye Nazırı ismini almıştır. Sadrazamın dâhilî işlerine bakan, Dâhiliye Nazırı olmuştur. Defterdarın adı, Maliye Nazırı şeklinde değişmiştir. Devlet, eski devletin aksine, bazı merkezileştirme faaliyetlerine girişmiştir. Mektepleri vakıflara ve cemaatlere bırakmamış, bu işleri üstlenmiş

Meclis'in açılışında Hatt-ı Hümayun okunması

ve neticede Maarif Nezareti ortaya çıkmıştır. Yine devlet halkın sağlığıyla uğraşmaya başlamış, Sıhhiye Nezareti ortaya çıkmıştır. Bakanlıkların şekillenişi böyle olmuştur. Bütün bunlar da toplumun modernleşmesini getirmiştir.

Eğitim Kurumları

Devlet nihayet mekteplere el atmıştır. Kız çocuklarının okula gitmesi, ister istemez hanım öğretmen ihtiyacını doğurmuştur. Kadının içtimaî hayata atılması ve eşitlik mücadelesine girişmesi de böyle başlamıştır. Osmanlı'nın taşra şehirlerinde bile modern hayatın ikilemi ortaya çıkmıştır. Osmanlı modernleşmesi, medresenin aleyhine gelişmiştir. Hukuk mektepleriyle birlikte medreseler de ayakta kalma mücadelesine girişmişlerdir. Maalesef medreseleri bir kalemde silip atmışız. Hiç kimse XIX. yüzyılın medreselerinin bu sürece nasıl katılma mücadelesi verdiğini görmüyor. Mesela bir Medresetü'l Kudat (Nüvvab Mektebi) ku-

109

rulmuştur. Bu kurumun eğitim müfredatına bakıldığında ilginç şeyler bulunacaktır. Müfredat yönünden, yeni kurulan Hukuk Mektebi'nden daha Batıcıdır. Bazı medreseler vardır ki matematik ve astronomi öğretmektedir. Tabii ki ekserî medrese de yetersizdir, talebe-i ulûm açtır. İmparatorluğun son zamanlarında kurulan bir iki medrese, böyle ayakta kalma mücadelesi verirken, çoğu talebesizlikten kapılarını kapatmak zorunda kalmış; laik eğitim sistemi böylece ortaya çıkmıştır.

Mekteplerde ikinci bir atılım daha başlamıştır. Bu mekteplerde bir Osmanlı eliti yetişmiştir. Modernleşme, bürokratik merkezîleşmeyi ve modernleşmeyi beraberinde getirmiştir. Devletin memur ihtiyacı da yeni açılan okullarda karşılanmıştır. Artık ağdalı yazıya imkân kalmamış, hüsnühat dediğimiz kaligrafi ikinci dereceye itilmiş, okunaklı yazı yazmak makbul olmuş; siyakat ve divanî gibi yazı çeşitleri ya itilmiş ya sınırlı olarak kullanılmıştır. Çünkü daha sade yazan bir memur sınıfı yetişmiştir. Başta önemli tarihçimiz Ahmet Cevdet Paşa olmak üzere, imparatorluğun önde gelen bürokratları ve edipleri, sade Türkçe ile yazmaya başlamışlardır. Bugünün Türkçesi, esas itibariyle Tanzimat döneminde oturmuştur. Bu yüzden Tanzimat'ın insanı bizim çağdaşımızdır; modern Türk münevveri Tanzimat'tan çıkmıştır diyebiliriz. Çağdaş Türk aydını, Tanzimat aydınıyla aynı gruptandır. Zira onlar da bugünkü aydınların tartıştığı meseleleri tartışıyorlar; geleneği veya modernleşmeyi savunuyorlardı. Dolayısıyla onları okumak ve bilmek zorundayız.

Osmanlı ilerlemesi ve gelişmesi hiç şüphesiz ki arzu edilen düzeyde değildir. İmparatorluk XIX. yüzyılın sanayi dünyasında geri kalmıştır; ama bu, hiçbir şey yapılmamış demek değildir. Mühendislik okulları, ziraat mektepleri açılmıştır. Bugünkü düzeyimizi onlara borçluyuz. Bu okullardan mezun olmuş insanlarla sanayimiz gelişmiştir. Sanayiyi devlet kurmuş, alıcısı da yine devlet olmuştur. Ordu ve mektepler, sanayiyi doğurmuş ve kullanmışlardır.

Osmanlı ziraati gelişmiştir, ancak bu yeterli değildir. Kara saban, ziraatte hâlâ ülkenin temel üretim aracıdır. Hayvancılık ve bunun ziraatte kullanımı çok geri düzeydedir. Gübreleme, ilaçlama söz konusu değildir. Şunu da belirtmek gerekiyor: Türk ziraati elbette ki istenen seviyede değildi, ama yanı başımızdaki Çarlık Rusyası'yla karşılaştırıldığında hiç de iç karartıcı durumda değildi. Rumeli ve Ege'de durum daha iyiydi; Suriye ve Lübnan'da da atılım vardı. Ege ve Trakya Bölgesi'nde, özellikle Makedonya'da Batı sanayiine dönük bir monokültürel yapı gelişmekteydi.

Tütün ve birtakım endüstriyel bitkilerde kayda değer bir kıpırdanma başlamıştı. Bu ürünlerin nakli sebebiyle Anadolu'da demiryolunun gelişiminden bahsedilebilir. 1894'te Ankara gibi küçük bir merkeze demiryolu gelmiştir. Aynı yıllarda, bu hat Konya'dan Ereğli'ye kadar uzanmaktadır, oradan da Mezopotamya'ya kadar varacaktır. Rumeli'den gelen çalışkan ve bilgili muhacir kitleler, demiryolu hattına yerleştirilmekte, Anadolu tahıl ambarı haline gelmektedir. Bu sayede Yunan muharebesinde Türkiye ilk kez kendi ürettiği Anadolu buğdayıyla askerini besleyecektir. Mesela Rusya Sefareti'nin ekonomi müşaviri Çarikov raporunda: "*Şimdiden İstanbul Rusya buğdayından vazgeçti, Anadolu buğdayını yiyor. Gelişme kötü. İleride Mezopotamya ve Anadolu buğdayı Avrupa'ya akınca biz ne yapacağız?*" demektedir.

Demek ki, o günkü Osmanlı Devleti sadece haritalara bakılarak ve kaybedilen yerler dikkate alınarak değerlendirilemez. Sadece haritalara bakıldığı ve kaybedilen yerler dikkate alındığı için, o döneme 'gerileme devri' deniyor. Oysa görüldüğü gibi, Türk cemiyeti o günlerde kendini yeniliyor ve geliştiriyor, Avrupa ile ticaretini artırıyor. Şark ile de ticaret yapılıyor. Mesela Osmanlı-İran ticaretine bakıldığında, Osmanlı payının daha yüksek olduğu görülecektir. Demek ki o dönemde artık bir tüccar sınıfı ortaya çıkmaktadır ki bunlar bizim sermayedar sınıfımızın öncüsü sayılırlar. Tabii bunların çoğu gayrimüslimdir. Mesela Trabzon'a baktığımızda, o kalabalık tüccar listesinde çoğunlukla şehirdeki gayrimüslimleri görürüz. Bunlar Rumlar ve Ermenilerdir. XX. yüzyıl başında, İttihat ve Terakki'nin üzerinde en çok durduğu şeydir bu. İttihatçılar bu durumdan rahatsız oldukları için, devlet eliyle yerli/Türk işveren sınıfını oluşturmak istemişlerdir.

O dönemlere ilişkin olarak dillendirilen bir şey daha var: "1840'lardan itibaren Avrupa malları içeri girdi, böylelikle tezgâh sanayii iflas etti" deniyor. Bu elbette ki doğrudur. Ancak bu durum bütünüyle bir yıkım değildir. Bu bir Avrupa açılımı olarak da okunabilir, ki bu açılım sayesinde bazı sanayi dalları gelişmiştir. Devlet eliyle bazı sanayi dalları inkişaf etmiştir. Mesela Safranbolu'da dericilik gelişmiştir. Safranbolu'nun güzel evleri biraz da bu açılımın bir sonucudur.

Matbuat Dünyası

Üzerinde ısrarla durmamız gereken bir nokta da matbuattır. Matbuat, Türk hayatına girmiştir. Gazetelerin tirajları çok komiktir, bini bulmaz. Fakat yine de bu, fikir ve bilginin gelişimini sağlamıştır. Gazete Osmanlı milletlerine haber taşımıştır, belki haberden çok devletin teamüllerini duyurmuştur. Okuyucusuna tarih, coğrafya, dilbilgisi dersi vermiş; tabiatı ve dünyayı öğretmiştir. Gazete, kitlelere bir nevi ansiklopedik kültür aracı olarak ulaşmıştır. Kıraathane denen yerde bir gazetenin etrafında belki elli kişi toplanıp okumuş ve dinlemiştir.

Bu dönemde taşrada da gazeteler çıkmıştır. Mesela İzmir'de daha erken bir dönemde gazete yayımlanmış, ilgi görmüştür. Zira İzmir daha kozmopolit ve dışarıya açık bir yerdir. Selanik'te de aynı şey gerçekleşmiştir. Beyrut birden imparatorluğun en büyük matbuat merkezi olmuştur. Beyrut'ta basılan gazetelerin, kitapların ve dergilerin sayısı kabarıktır ve bunların içeriği artık kontrol edilemez hale gelmiştir.

Mektep ve yayımcılık faaliyetleri hiç değilse Anadolu'nun kalabalık köşelerine kadar gitmiştir. Artık anonim bir haberleşme ve okuma hayatı başlamış, ama ikili yapı devam etmiş; el yazması kitaplar son günlere kadar üretilip satılmıştır. Özellikle birtakım dinî metinler, en başta Mushaf-ı Şerif, basılmaktan çok, el yazmalarıyla çoğaltılmıştır. Edebiyat başlamış, romanlar yazılmıştır. İlginçtir, ilk romanı ve ilk oyunu bir Arnavut milliyetçisi (aynı zamanda Türk milliyetçisi) olan Şemseddin Sami (*Fraşeri*) yazmıştır. Şemseddin Sami Bey, hem Türkçeye, hem de Arnavutçaya hizmet etmiştir.

Neticede bir Osmanlı kültürü, Osmanlı kültür adamı ortaya çıkmıştır. Bunun milliyeti, etnik kökeni de mevzubahis değildir. İnsanlar birden fazla dili konuşur olmuştur. İki dil bilen Ermeniler, Rumlar, Yahudiler vardır. Çok tuhaftır, insanlar bu dilleri kendi ağızlarıyla konuşsalar bile, doğru yazmışlardır. Çok dilli bir matbuat dünyası, okuyucu kitlesi doğmuştur. Ahmet Mithat Efendi; "*İstanbul insanı sokakta üç dil öğrenir*" diyor. Bu 1950'lere kadar böyleydi. Böyleydi ama Osmanlı İmparatorluğu'ndaki halklar, kendi kültürlerinden kopmadan bütüne katılmışlardır. Mesela halklar arası evlilikler son derece azdır. Mahalleler bile neredeyse ayrıdır. Ancak asrın sonunda, her cemaatin zenginleri belirli mıntıkalara taşınmaya başlamışlardır, ki bunun en belirgin örneği İstanbul'da Pera'dır.

Osmanlı'da Siyasî Muhalefet

Gazetenin ve kitabın çıktığı bir yerde, ister istemez siyasî muhalefet başlayacaktır. 1850'lerdeki Kuleli Vakası, böyle bir siyasî muhalefet örneği, mahiyetini çok iyi bilmediğimiz bir darbe girişimidir. Muhalefeti, Sultan Abdülaziz döneminde Paris'e kaçanların çıkardıkları ve Türkiye'de yayımlanan bazı gazeteler yapar. Muhalefet Bab-ı âli'ye, padişahın kendisine yöneliktir. Siyasî muhalefet, siyasî partilerden ve sendikalardan bağımsız yapıldığı için münevverlerin yönelimlerine bağlı kalmıştır. Bu yüzden bazı muhalifler keskin dönüş yapabilmişlerdir. Mizancı Murat Bey bunlardan biridir. Diyebiliriz ki, Osmanlı'da siyasî muhalefet; kahve ve hamam dedikodularından, yeniçeri ve ulemanın sohbetlerinden çıkmıştır. Muhalefet ve particilik, bir tür komitacılık faaliyeti olarak başlamıştır. Osmanlı siyasî hayatında particilik ve partizanlık, maalesef, dayatmacı bir zihniyete, *"Ben olmazsam olmaz. Tek doğru benim"* anlayışına dayanmaktadır. Zira farklı zümreler bir örgütlenme ve iç tartışma ve örgütsel terfi geleneğinden gelmemektedir. Üyeler Hüda-yı nabittir ve örgütün içinde yetişmiş değildir. Bunun için Türk demokrasisi, XIX. yüzyılda ve XX. yüzyıl başlarında iyi bir başlangıç yapmamış, o dönemden beri hırçın bir gelenek teşekkül etmiştir.

Osmanlı'da siyasî muhalefet, her şeyden önce, bürokrasinin eseridir. Muhalifler bir taraftan idareden beslenmekte, diğer taraftan muhaliflik yapmaktadırlar. Bu halleriyle, bir çocuğun

Meşrutiyet'in ilanı

anne ve babasıyla kavgalı olmasına benzerler. Türkiye'nin açılımcı, yenilikçi, ileri görüşlü ama bağımsız olmayan muhalefeti, böyle bir gelenekten beslenmektedir. İnsanlar köprüleri atarak, bağımsızlaşarak politika yapmayı öğrenememişlerse, bunda memur tipi politikacılığın büyük payı vardır. Osmanlı kültürü ve Osmanlılık, asrın kimliğidir. Gayrimüslim "millet"lerin politikacı tipleri arasında Yunanistan'a, Ermenistan'a gitmek ve çalışmak pek göze alınmamıştır; oralar cazip gelmemiş, merkezde kalıp politika yapmak tercih edilmiştir.

II. Meşrutiyet'te milliyetçi akımların çok hızlı tezahürleri görülmüştür ve itiraf etmek gerekir ki Türk unsuru, bu gibi taleplerden hoşlanmamaktadır. İlk başta böyle bir kardeşlik örneği verilse de kısa bir zaman sonra o hava yitirilmiştir. Nitekim I. Cihan Harbi'ne girerken Osmanlı kabinesinde birkaç tane Ermeni bakan vardı. Buna karşın bu elitle teması az ve onlara muhalif komitacı zümrelerin Ruslarla işbirliği etmesi durumu ortada iken, bir müddet sonra Ermeniler güvenilmeyen unsur olarak sürgüne (deportasyon) tabi tutulmuşlardır. Ermeniler ülkedeki en önemli unsurlardan biridir. Çünkü Osmanlı İmparatorluğu XIX. yüzyılda, artık muhtelif dil ve dinden insanların meydana getirdiği bir imparatorluk değildir. Artık milliyetçi duygular ortaya çıkmış, Osmanlı adeta kaynayan kazan olmuştur.

Çok ilginçtir ki maarif, kitlelere bedava ulaşmaktadır. Bu, başından beri böyle olmuştur. Gençler köyden gelirler, ayaklarında doğru dürüst çarık yoktur. Derhal okula kabul edilirler. Giydirilir kuşatılırlar, ceplerine harçlık konur ve barındırılırlar. Bürokrasi bu şekilde alttan beslenir. Ayrıca bu, bürokratik bir teminatı da beraberinde getirir ve kendine özgü, kapalı bir elit oluşur. Muhtelif dinden insanlar da bu elitin içinde bulunabilir, bulunur. Arşivimizdeki sicil ve ahval defterlerini karıştırdığımız zaman bunun güzel örneklerini görürüz.

Osmanlı bürokrasisi renkli, belirli bir kariyere ve hiyerarşiye mensup bir kitleden meydana gelmektedir. Maalesef XIX. yüzyılın sonu ve XX. yüzyılın başlarında bu kitlenin içinde de çatlamalar meydana gelecektir. Açıkçası imparatorluk, reformlarını, kendi klasik imparatorluk anlayışına dayanarak yapmaktadır. Bunu da bilmemiz gerekir. Bugününün tarihçisi bunu anlamıyor. Avrupa tarihçisi ise hiç anlamıyor. Onların tasvir ettikleri Türkiye, Türk İmparatorluğu, Avrupa'daki herhangi bir devlet gibidir. Avusturya-Macaristan gibi... Oysa bu yanlıştır, oradaki Katolik Alman, Hırvat, Çek ve Macar kendi aralarında çatışırdı. Buna karşı Osmanlı memalikinde Müslüman etnik unsurlar arasında böyle çekişme görülmezdi. İşte bu nedenle yorumlarda metodik bir yanlışlık hâkimdir.

Biz Osmanlı siyasal muhalefeti kadar, yeniçağın Osmanlı kültürünü de orijinal bir gelişme olarak görüyoruz. Yani şunun üzerinde ısrarla durmak lazım: Sınıfa giren bir muallim, talebelerine ne anlatması gerektiğini biliyordu; çünkü oradaki çocuklar, eşit dile, eşit kültüre, aynı eşitlik ve aynı uzaklıkta bulunuyorlardı. Ama kendisi olmadığı zaman o çocuklar ne konuşur? Tartışma geleneği var mıdır? Bu çocukların arasında, nasıl ortak bir öğe vardır? Öyle ya, Fransa'da, Britanya İmparatorluğu'nda Londra'da, Manchester'da çocukların hangi milliyetten olurlarsa olsun konuşabilecekleri ortak şeyler vardı, ortak değerler sistemi vardı. Osmanlı ülkesinde, bu husus çok zayıf teşekkül etmektedir; çünkü Osmanlı klasik bir imparatorluktur. Modern dünyanın şartlarına uymaya çalıştığı, intibak ettiği takdirde de yeni problemler ortaya çıkmaktadır. Nitekim bunun üzerinde çok durulmuştur.

OSMANLI'NIN XIX. YÜZYILI

Altı asırlık Osmanlı tarihi, bazıları tarafından *Kadınlar Saltanatı* olarak yorumlanır. Bu yorum, daha doğrusu başlık, popüler tarihçimiz Ahmet Refik'ten kaynaklanır. Şunun üzerinde açıkça durmamız gerekir: Osmanlı tarihinin bir asrını, fasılalarla yaşanmış bir durumu tüm bir Osmanlı tarihi için ölçü kabul etmek doğru değildir. Osmanlı'daki iktisadî gerilemeyi, duraklamayı, toprak kaybını kadın saltanatıyla veya çocuk padişahlarla izah etmek kolaycılıktır. Altı asırlık Osmanlı İmparatorluğu'nun her şeyini, iki çocuk padişah bahsiyle veya Hürrem Sultan-Kösem Sultan etrafındaki entrikalar içinde yorumlamak, kalem hafifliğidir. Evet, tarihte bu bahis vardır, sözü edilen şeyler de yaşanmıştır. Ancak bunları kendi özgün şartları içinde değerlendirmek gerekir, bütün tarihi bununla değerlendiremeyiz.

En çok üzerinde durulan ve eleştiri konusu olan bir husus da *devşirme* müessesesidir. Kendi sahasında müracaat kaynaklarından biri olan İsmail Hami Danişmend'den beri bu konu çok ilgi görmüştür.

Devşirmelerden oluşan yeniçeriler, Türk kanından olmadıkları için Türk İmparatorluğu'nun felaketini hazırlamışlardır de-

119

niyor ve çok basit bir kronolojik hata yapılıyor. Çünkü bu anlayışa göre, Osmanlı İmparatorluğu orduları Slovakya, Bağdat, Gürcistan, Nahcivan, Habeş eyaletlerini fethettiği dönemlerde, yeniçeri kıtaları iyi, hoş; fakat gerileme döneminde devşirmeler hain ve zelil.

Yeniçeriler Osmanlı ordusu içinde azınlıktaydı. Evet, Balkanlar'dan, Gürcistan'dan, Hıristiyanlardan devşiriliyorlardı, ancak aralarında az sayıda Müslüman da vardı. Maalesef edebiyatımızda ve tarihçiliğimizde bir genelleme hastalığı yapılır; genel ve keskin hükümler verilir. Bir ansiklopedi maddesine bile bakmadan, "Bu, külliyen böyledir, istisnası yoktur. Devşirmeler Hıristiyanlar arasından seçilir" deniliyor.

Oysa devşirme müessesesi için şu husus bilinmelidir: Bu bir dönemdir ve XVII. asrın ortalarında bitmektedir. Ondan sonra yeniçerinin kaynağı bütünüyle Anadolu olmuştur. Büyük sadrazamlarımızın çoğu bu dönemde ortaya çıkmıştır. Mesela Halil Hamit Paşa, Nevşehirli Damat İbrahim Paşa ve Elhac Ali Paşa gibileri Türktürler, ki bu farklı kültürlerden devşirme dediğimiz şey, aslında Osmanlı İmparatorluğu'nun bir rengidir. Zira imparatorluğun etnik ve kültürel yapısı, çoğulcu bir özellik arz eder; muhtelif milletlerin ve medeniyetlerin sentezi söz konusudur. Ama ordu hep Türk kalmıştır. Dil, hiçbir zaman değişmemiştir. Hâkim unsurlar, harp ve talim teknikleri daimî olarak eski bir ananeye dayanmıştır. Rütbeler buna göre verilmiştir. XIX. yüzyıldaki askerî modernleşmeyle birlikte, yabancı tabirler ilk kez kullanılmıştır. Klasik Osmanlı Çağı'nda bütün tabirler Türkçedir. Bir de şu vardır: Devşirilen çocukların çoğu, zaman içinde ana dillerini unutmuşlardır. Çünkü ne de olsa küçük yaşta devşirilmişlerdir ve bunlar daha çok dağ köylerinden alınmışlardır.

Kendi ana dillerine dair kaç deyim, dua, kelime biliyor olabilirler; ama bunların bir kısmı nefer olarak yetiştirilmiş, subay ve devlet adamı olarak yetiştirilmek üzere alınanlar da Enderun'da tahsil görmüşlerdir.

Osmanlı ekonomisi ganimete mi dayanır?

Bir tekrar daha var: *"Osmanlı ekonomisi ganimete dayanıyor, ganimetle besleniyor."* Aslında bu düzen XX. yüzyılda da, XVI. yüzyılda da vardır. Hatta milattan önceki devletler için de bu geçerlidir. Büyük Mısır Firavunları, muhteşem Asur İmparatorluğu ve Anadolu'daki Hitit İmparatorluğu da böylesi bir ekonomik yapı üzerinde duruyordu. Çok zaman geçtikten sonra bu yapı yetersiz kalmıştır.

Bir toplumun ve imparatorluğun ayakta durabilmesi için iktisadî müesseselerin örgütlenmiş olması gerekir. Bu örgütlenme de öyle dâhi bir adamın üç günde becerebileceği bir iş değildir. Yeni bir yapılanma, yeni bir imparatorluk, önceki devletlerin ve toplumların bıraktığı mirastan faydalanır. Yeni olan yapı bu mirası ne derece başarıyla uyarlayabilirse o derece sağlıklı bir zemine kavuşur. Üretim dışı yollarla ortaya çıkan zenginlikle bir imparatorluğun ayakta duramayacağına en iyi delil, XVI. yüzyılın İspanya Krallığı'dır. Bilindiği gibi İspanyollar, birden denize açılmış, Amerikalıları esir almış, oradaki madenlere el koyup bunları gemilerle ülkelerine getirmişlerdir. Bunu yapmışlardır da ne olmuştur? Enflasyon hortlamış, bu durum ülkeyi zenginleştireceğine fakirleştirmiştir. Çünkü İspanya, tarımını ve zanaatlarını geliştirmeyi düşünmemiştir. Büyük bir hata yaparak, Yahudileri ve Müslüman Arapları ülkesinden atmıştır. Bunların gitmesiyle de üretimde ve ekonomide çöküntü başlamıştır.

Hiç kimse ganimetle zenginleşemez; bu böyledir ve Osmanlı'nın gerileyişini ve çöküşünü buna bağlamak da mümkün değildir. Kaldı ki bir yerden gelir elde etmek için ilk başta yatırımlar yapmak gerekir. Mesela Rus Çarlığı, XIX. yüzyılda Kafkasya ve Orta Asya'yı topraklarına katmıştır. Buralardaki malî bütçeye baktığımızda görüyoruz ki çarlığın uzun zaman Kafkasya'dan aldığı vergi, oraya harcadığının dörtte birini geçmiyor. Orta Asya için de bu böyledir. Osmanlı'nın gelir ve gider cetvellerine bakıldığında da aynı şey görülür. Fethedilen yerlerden alınan miktar ile o yerler için harcanan miktar arasında büyük fark vardır.

Macar tarihçi G. Kaldy Nagy, Budin eyaleti ve Macaristan için araştırmalar yapmıştır. Bu araştırmalardan öğreniyoruz; oralarda birtakım yollar, köprüler, kervansaraylar inşa edilmiştir. Merkeze aktarılan varidat yüksek oranda olamaz. Balkanlar'da da aynı şey olmuştur. Balkanlar'daki durum, Bulgar tarihçisi Nikolai T. Todorov'un "Balkan Şehri 1400-1900" [The Balkan City 1400-1900] adlı eserinde görülebilir. Dolayısıyla Osmanlı İmparatorluğu'nun ilerleyişinin tek bir açıklaması yoktur. Konuyu böyle ele alanlar Osmanlı'yı açıklayamazlar.

Osmanlı'nın XVIII. yüzyılının en önemli olayları; Avusturya ve Rusya ile olan savaşlar, bir de hilafet meselesidir. Bunun üzerinde durmamız gerekiyor. Çünkü Avrupa ve Türkiye'nin birlikteliğini düşündüğümüzde bu mesele kaçınılmaz olarak önümüze gelir. Mesela 1699 Karlofça Antlaşması, uzun süren Viyana Kuşatması'nın ve izleyen savaşlar ve yenilgilerin bir sonucudur. Viyana Kuşatması'nın komutanı Merzifonlu Kara Mustafa Paşa iyi bir mareşal değildir; büyük bir orduyu ve kuşatmayı yönetecek kapasiteden yoksundur. Yardımcılarıyla, yardımcı kuvvetlerle iyi geçinememiş, kendileriyle iletişim kuramamıştır. Bir komutanın en büyük zaafı budur. Merzifonlu Kara Mustafa Paşa, savaşılan alanı ve çevreyi iyi değerlendirememiş ve Polonyalılar, tarihî bir hata yaparak, yıkılışlarını hazırlayan bir harekete girişmişlerdir. Viyana'nın çevresindeki bir kaleden kuşatma yapan orduya arkadan saldırmışlardır. Polonya kuvvetlerinin bu taarruzu, uzun zamandır netice veremeyen Viyana Kuşatması'ndaki Osmanlı ordusu üzerinde ağır bir darbe olmuştur.

Diğer yandan Polonya'nın çöküşü de böyle başlamaktadır. Daha baştan Avusturya Grandükü ve Alman Kayzeri Polonya'yı ve ordusunu küçümsemiş, hakkını teslim etmemiştir. Avusturya ve Rusya kuvvetlenmiştir. Bilindiği gibi, bunlar ileride Polonya'yı parçalayacak kuvvetlerdir. Dolayısıyla burada çok önemli iki gelişme söz konusudur. Karlofça Antlaşması'ndan sonra Avusturya, Tuna boyunda kuvvetlenmiş, ziraati gelişmiştir. XVIII. asrın başlarında Balkan ülkelerinden hammadde toplamış, kendisi mal üretmiş ve satmıştır.

Osmanlı, Karlofça Antlaşması'ndan sonra artık iktisadî alanda imtiyazlı bir kuvvet değildir. Bu çok önemli bir unsurdur. İmtiyaz ve kapitülasyon dediğimiz müessese tek taraflı olarak verilmekte, ticareti canlandırmak için kullanılmakta ve istenmeyen maddeler ticarete konu edilmemektedir. Ne var ki yasak ticaret, yani yasak maddenin kaçak ihracı artmakta ve vergileme dışı kalmaktadır. Üstelik bu, maddelerin kıtlığını yaratmaktadır. Dolayısıyla XVIII. yüzyılda Batı kuvvetleri ve Avusturya'nın ticareti artmıştır. Avusturya orduları tarihlerinin en başarılı dönemini yaşamışlardır.

Bu yüzyılda Osmanlı Türkiyesi mevcut ziraî nizamında büyük gerilemelere uğramıştır. Maliyemiz, merkezî bir maliye olmaya doğru bir gelişim göstermiştir. Yerel birimlerin vergileri toplama ve bunları harcayabilme yetkisi yavaş yavaş kaldırılmış, bundan böyle bu görevi merkezî idare üstlenmiştir. Tabii, bu merkezîleşme süreci hiçbir yerde kolay olmamıştır. XVII. yüzyıl Fransa tarihi, bu mücadeleyle geçmiştir, Rusya bunu becereme-miştir. Osmanlı İmparatorluğu da merkezîleşmeye doğru yavaş ilerlemiştir. Bugün bile bu süreci tamamlamış değiliz. Hâlâ bir-takım vergi reformlarıyla ve hazine yapısı düzenlemeleriyle vakit geçiriyoruz. Bunlara rağmen Osmanlı orduları o dönemde savaş teknikleri ve savaş gücü konusunda bazı yeniliklere uyum sağla-yabilmiştir. Bu yüzden karşımıza çıkan, Avusturya ve Rusya gibi kalabalık ve teknik yönden gelişen ordulara zaman zaman yenil-sek de, onları durdurduğumuz da görülmektedir.

Ancak bu dönemde genel gidiş Batı'da toprak kaybetme yö-nündedir. 1699'da Macaristan'ın büyük kısmı kaybedilmiş, Erdel elden çıkmıştır. XVIII. yüzyıl boyunca Tuna bölgesinde Belgrad gibi elden çıkmalar ve yeniden ele geçirmeler olmuştur. 1788'den beri Rusya'ya katılan Avusturya ile yapılan son savaş, Ziştovi Antlaşması'yla (Ağustos 1791) sonuçlanmıştır. Avusturya'nın Ziştovi Antlaşması'nı imzalamasının sebebi ise Fransa'daki ih-tilaldir. Fransa ve Avusturya arasında savaş çıkmış; bu yüzden Avusturya, Osmanlı ile savaşı tatil etmek ve eski statüyü ka-bullenmek zorunda kalmıştır. Bundan sonra Osmanlı, bir daha Avusturya ile savaşmamış, Birinci Cihan Harbi'nde bir müttefik olarak savaşa katılıncaya kadar bu böyle devam etmiştir.

Maalesef Avusturya İmparatorluğu ile Birinci Cihan Har-bi'ndeki ittifakımız da ordularımıza ve askerî sistemimize kazanç değil, külfet getirmiştir. Zira Avusturya orduları, donanımları iyi olmasına rağmen iç komuta sorunları fazla ve kötü savaşan ordulardır. Öte yandan Enver Paşa kraldan fazla kralcı olmuş, Rusya'ya karşı savunması zayıf Avusturya'ya, yani Galiçya'ya seç-kin birliklerini göndermek yolunu seçmiş, bu da savaşın gidişatı-nı aleyhimize çevirmiştir.

BATI'DA TÜRK İMAJI

Doğu egzotik bir coğrafyadır. Oysa Türk dünyası için aynı şey söylenemez. Batılı için Türk; istilacı, kavgacı, militarist yapıda, kuvvetli ordusu olan bir tehlikedir. Türk tipinin okunmasında İslam imajı etkilidir. Çünkü Türk tipinde, bir devlet düzeni, sağlam bir bürokrasi ve ordu görülmektedir. Bu İslam'ın hakiki mahiyetidir ve bunu Türkler devam ettirmektedir. Karşılarındaki şey, 'militan bir İslam'dır. Batılılar bunu böyle değerlendiriyorlar.

Türk'e, İranlılara ve Araplara baktıkları gibi bakamıyorlar. Bir Alman okul ansiklopedisinde (*Musisches Lexikon*) karşılaşmıştım. Firdevsi maddesi şöyle başlıyordu: *"651'de Türkler İran'ı istila edip İslamlaştırdıktan sonra..."* Tabii bu, çok gülünç, vahim bir hatadır. Ancak hatalı deyişin arkeolojisine bir bakalım: Türkler birilerinin ülkesini istila edip İslamlaştırır yargısı ve müearifesi vardır. Bunun kalıntıları devam ediyor, bu tür yargılar hemen silinmez.

XIV, XV, XVI. asır boyunca kilise, Türklere aleyhinde yoğun bir propaganda yapmıştır. Türkler için korkunç hikâyeler anlatılmıştır. Bunlar matbaa yoluyla, o zamanki tiyatro kanalıyla yayılmıştır. Bugün de benzer önyargılar belli kalıntılarla sürmektedir.

Zira toplumların iki asır içinde tarihî doğruları kabul edecek seviyeye geldiklerini söylemek mümkün değildir. Dolayısıyla, bunların bir şekilde devam ettiğini düşünmek zorundayız. Bunu söylemek, ne milliyetçi bir tavırdır ne de yabancı düşmanlığıdır. Bu yüzden, Batılı kaynakları da ustalıkla kullanarak Türk tarihini yeniden yorumlamak gerekmektedir.

Batı, Balkanlar'da başlar. Osmanlı İmparatorluğu Balkanlar'da nasıl bir ilerleme kaydetmiştir? Prof. Dr. Halil İnalcık Hoca, Türkçe ve Osmanlıca kaynakları inceleyerek, tercümeleri yapılmış Bizans ve Slav yorumlarını dikkate alarak bu konuyu ortaya koymuştur. İlerlemede iki neden üzerinde durmalıyız: Başta Osmanlı ordusunun, ateşli silahlar kullanan bir ordu olduğunu kabul etmeliyiz. Bu dönemde Osmanlı ordusu öyle kılıç kalkan ile iş görmekten çok barut kullanır. Erken Rönesans askerî savaş tekniklerine ve ateşli silahlarına sahip, mühendisliği kavramış bir ordu vardır. Osmanlı Türk ordusunun vasfı budur.

İkinci nokta, Osmanlı'nın bir iktisadî-sosyal yapıya sahip olduğudur. Osmanlılık, yerleştiği yerde kendisinden evvelki devletin malî ve içtimaî nizamını toptan değiştirmektedir. Bir kere Balkanlar'da vergileri düşürmüş, angaryayı azaltmıştır. Raiyyet dediğimiz konum ne Stefan Duşan'ın Sırplarıyla, ne Bizans'ın tekfurlarıyla, ne Atina civarındaki Haçlı prensliklerinin yönetim tarzıyla, ne de Dimiter Şişmanov zamanında Tırnova'daki Bulgaristan Çarlığı'nın içtimaî nizamı ile kıyas kabul eder. Osmanlılar döneminde köylüler rahatlamış ve daha az vergi verir hale gelmiştir. Bu bakımdan Osmanlı'dan yana bir üstünlük söz konusudur.

Üçüncüsü, kilise rahat bırakılmıştır. Halil İnalcık Hoca'nın çok etraflı incelemesinde (istimalet sistemi) bunu görüyoruz. Osmanlı, fetihten önce manastırlarla ve kiliselerle adeta bir ön antlaşma yapmış ve bu, kilisenin çok işine gelmiştir. Manastırların vergi imtiyazı aldığını görüyoruz. Bu konuda sayısız ferman ve belge vardır. Dolayısıyla bölgelerde Hıristiyanlık içindeki kavga bitmiştir. Mesela Venedik'in ve Cenova'nın hükmettiği yerlerde, Katoliklerin yerli Ortodokslara yaptıkları zulüm sona ermiştir. Antisemit politikalar son bulmuştur.

Şunu iyi bilmeliyiz: Yahudi düşmanlığı, bizim tarihimize ve medeniyet perspektifimize son derece aykırı bir görüştür. Bu görüşün, Osmanlı ananesiyle bağdaşır yanı yoktur. Osmanlıların Balkanlar'da hâkim olmasıyla, eski kudretli sınıfların iktidarı kaybolmuştur. Burada Roma İmparatorluğu benzeri yeni bir ruh ortaya çıkmıştır; üniversal bir imparatorluk...

Osmanlı'nın ilerlemesi sırasında Balkanlar'da nasıl bir durum vardı?

Buradaki devlet yapıları bizim tasavvur ettiğimiz veya o milletlerin kendi millî tarihlerinde yazıldığı gibi değildir. Bulgar Çarlığı başkenti olan Tırnova çok güzel bir şehir, idarî ve kültürel bir merkezdi. Ancak Bulgaristan parçalanmış, küçük feodal prenslikler arasında kalmıştı. Ziraî alanda tahribat vardı. Sırbistan da farklı değildi. Bugünkü Yunanistan'da sırf Hellenler yaşamıyordu; bazı Arnavut ve Eflaklılar da orada meskun idi. Anlaşılıyor ki burada etnik bir bütünlük yoktu. Bu farklı kültürler de, birbirleriyle ilişki içinde değillerdi, çok kapalı yaşıyorlardı. Mesela burada Türklerden önceki Avrupalı Haçlı hakim zümreler Doğu'daki kültürlere yaklaşmak ve onlarla kaynaşmak gibi bir niyet taşımayan, kaba bir feodal düzen içindeydiler. Oysa Batı Avrupa'da artık teknolojik bir devrim başlamıştı. Tarımda yenilikler, yeni arazilerin ekime açılması gibi şeyler oluyordu.

J. B. van Mour'in fırçasından Türk Kadını ve Çocuğu

Burada Haçlılara dönük bir parantez açmak gerekir. Çünkü bu konuda bildiklerimiz tashihe muhtaçtır. Sanıyoruz ki Haçlılar, gittikleri yerlere kültür ve uygarlık taşırlar. Buralara baktığımızda, pek de öyle olmadığı anlaşılır. Çünkü buradaki Haçlıların günlük hayatlarında önemli bir değişiklik olmamıştır. Temizlik alışkanlıkları, mutfak kültürleri değişmemiştir. İsrailli ünlü Ortaçağ tarihçisi Joshua Prawer'in bu konudaki tetkikleri incelendiğinde, bu durumun Antakya veya Mora için de geçerli olduğu görülecektir. Haçlılar gittikleri yerlere bir şeyler götürmekten çok, oralardan çok şeyler almışlar. Yağmalayarak tabii ki... Kültürel kalıplar değişmemiş...

Haçlıların Kudüs'ü ve Şark'ı bırakıp Bizans'a saldırmasına kadar, Ortodoksluk ve Katoliklik arasındaki ayırım ciddi bir mevzu değildir. İki mezhep, sadece teolojik bazı tartışmalar içindedirler ki sokaktaki insanı ilgilendirmeyen bir tartışma ve ayrışmadır bu. Ortodoksluk ve Katoliklik arasındaki asıl ayrım, Haçlıların Bizans'a saldırmasından sonra belirginleşmiştir. Artık kan girmiştir araya. Doğu Ortodoks dünyası, bundan sonra Batı dünyasına iyi bakmaz. Neticede Katoliklik ve Ortodoksluğu bağdaştırmak için, 1430'ların sonunda Floransa'da bir konsil toplanır.

Floransa Konsili'nde Ortodoks âlemini temsil eden Bessarion, son derece kültürlü bir adamdır, birleşmeyi savunmaktadır. Belagati kuvvetli bir adam olan Kardinal Cesarini de bu görüştedir. Rusya'dan gelen Metropolit İzidor da kendilerine katılmıştır. Fakat Doğulular burada alınan kararı tanımazlar. Çünkü onlar için Katolik; "gaddar, kan içici, barbar" insan demektir. İşte Türkler bu durumdan istifade etmeyi bilmişlerdir. Osmanlı, Katoliklere karşı Ortodoksları himayesine almış, Ermeniler ile Rum Kilisesi arasındaki ayrılıktan yararlanmış, Ermenilerden yana tavır izlemiştir. Fatih'in ilk yaptığı iş, İstanbul'da bir Ermeni Patrikliği ihdas etmek olmuştur. Önceleri böyle bir makam yoktur. Osmanlı'da idarî otorite olarak bu patrikliği ihdas eden Fatih'tir. Bundan sonra Osmanlı İmparatorluğu'nda Ermenilerin ruhanî lideri, ama bilhassa milletbaşı (etnark) İstanbul Ermeni Patriki olmuştur.

YABANCILARIN GÖZÜYLE OSMANLI

Vatan bildiğimiz bu toprak parçası, miladi XI. asırdan itibaren Türkleşmiştir. Osmanlı öncesinde buralar Türkiya (Turchia'dan) veya Turcmenia olarak biliniyordu. Yakın Doğu'yu iyi tanıyan, burada ticaret yapan İtalyanlar, Cenevizliler ve Venedikliler topraklarımıza bu adları vermişlerdi. Biz ise, imparatorluk iddia ve hedefini önde tutmamız sebebiyle topraklarımıza Rum ülkesi, Rumî veya Rumeli gibi isimler vermişizdir. (Roma İmparatorluğu)

Topraklarımızı, Osmanlı Devleti'ni ve onun selefi Selçuki İmparatorluğu'nu, daha çok yabancı seyyahların yazdıklarından öğreniyoruz. Bu seyahat notları önemli kaynaklardandır. Seyyahların 1135'ten itibaren sistematik olarak devam eden, Türkiye'ye dair raporlarını bugün Vatikan arşivlerinde bulmak mümkündür. Venedik ve Cenova arşivleri de, bu gibi bilgileri içermektedir. Sadece XIX. yüzyılda, Osmanlı coğrafyasına yapılan gezilerle ilgili seyahatnamelerin adedi 5000'i geçmektedir.

Türkiya üzerine en eski Fransızca-Almanca seyahatnameler, Osmanlı öncesine kadar uzanmaktadır. Bu seyyahlar Bizans İstanbulu'ndan geçmişler; Türklerin elinde olan o zamanki Anadolu'yu da canlı bir biçimde anlatmışlardır. Hatta Hans

Schiltberger, eserinde Tatarca, yani Kırım Kazan Çağatay Türk-çesiyle dualar kaydetmiştir. Bu çok enteresan bir olgudur. Demek ki misyonerler daha o zamandan Türk halklarına yönelik propaganda metinlerini bu halkların kendi dillerinde hazırlamaktadırlar. Bu Vatikan'ın tarihi ve dünyevi konumunun gücünü gösterir.

İşin daha da ilginci, bu kitapların matbaadan evvel yazılmış ve matbaa icat edilip kullanıma geçmeden çok evvel el yazma-sıyla onlarca nüsha olarak etrafa dağılmış olmasıdır. Batı'daki halklar, matbaadan evvel de o kadar okuyor ki Türkiye'yi bile merak ediyor.

Bu zenginliklerin ortasında seyahat felsefesinin ve coğrafya edebiyatının şaheserlerinden bahsedilebilir. XVII. asrın ünlü Fransızı *Jean Chardin*, Paris'ten Tiflis'e ve Paris'ten İsfahan'a uzanan seyahatnamelerin öncüsüdür. Bu seyahatnamelerde, canlı ve diri bir coğrafya tasvirinin ve çok iyi bilginin yanında bir şeyi daha görüyoruz; Avrupalı artık Şark'a, 'atıl, değişmeyen, gelişmeyen ülkeler' diye bakmaya başlamıştır. Asya'da değişmez-lik, Avrupa'da ise devamlı değişme vardır. Bu seyahatnamelerde bunu ifade ediyorlar. XVII. asırda, yani Barok aydınlanma çağın-da artık o doruğa ulaşıldığını *Jean Chardin* gibi fevkalade bir ya-zarın kaleminden de gözleyebiliyoruz. Gene aynı şekilde Fransız aydınlanma çağının iki önemli seyyahı, bilhassa Doğu Akdeniz seyahatnamesi yazarı, *Voyages de Levant* ile *İran ve Türkiye'de Altı Seyahat* başlığıyla kitaplarını yayımlayan *Jean Baptiste Tavernier* de bu görüştedir.

Bu iki gezginin notları, sadece verilen bilgi açısından değil; artık Garp'ın Şark'a nasıl bakmaya başladığı, Garp'ın Şark diye bir medeniyet yarattığını göstermesi açısından da önemlidir.

Başka yönlere bakalım. Devlet ve toplumumuz hakkında, bilhassa toplumsal yaşayışımız hakkında çok ilginç bilgiler veren *Nicolay de Nicolas*, eserinin adını *"Navigation into the Turkiya"*, yani "Türkiye'ye Deniz Yolculuğu" koymuş. Dikkatinizi çekerim; bugünkü İngilizler gibi "Turkey" diye yazmıyor ve memleketimizi hindiye benzetiyorlar diye komplekse girmemize gerek bırakmıyor, düpedüz "Turkiya" yazıyor.

16. asır sonunda ülkemize gelen *Salomon Schweigger*, oldukça kapalı bir Protestan papazıdır. Schweigger'in seyahatnamesindeki bilgilerden çok, Şark'a bakışı ilginçtir. Fotoğraf albümü şeklinde basılıp yayımlanan seyahatnamesi dilimize yakın zamanlarda kazandırılmıştır. Daha önce bendeniz seyahatnamenin İstanbul kısmını şerhli olarak yayınlamıştım. *Schweigger*'in çok ilginç gözlemleri vardır: Topkapı Sarayı'na yaklaşımı, Türk hamamını tasviri ve korku unsuru olarak anlatılan Türk ordusuna bakışı... *"Adamlar hamamda bile bir örtü kuşanıyorlar. Ne kadar edepli insanlar. Bu edep ve namusu bu barbarlardan öğrenmemiz lazım."* Büyük mabetler ve kamu eserleri inşa ettiğimizi, ama oturduğumuz evlerin bir şeye benzemediğini düşünür. *Schweigger* ucu keskin heccav üslubuyla olmadık tezatları gözleyip kaleme almıştır.

Şark'ın seyyahlarına gelirsek, Evliya Çelebi Seyahatnamesi önemli bir Türkoloji kaynağıdır. Çelebi'nin yazdıkları, incelemekle bitmeyecek bir coğrafya ve kültür kaynağıdır. Seyahatname abidevî bir eserdir. Evliya Çelebi gibisi daha evvel ve daha sonra ne bizde çıkmıştır ne de Avrupa'da... O günün hayatı içinde konuşulan dilleri, lehçeleri kaydetmiş gibidir. Çoktan kaybolup gitmiş Kafkas dillerinin bazı izleriyle onun seyahatnamelerinde karşılaşılabilir. Bu yüzden Kafkasyalılar için vazgeçilmez bir kaynak haline gelmiştir. Ama şunu unutmayalım ki Evliya Çelebi'nin de yanıldığı yerler olmuştur.

Evliya Çelebi gibi olmasalar da, bugünlerde ortaya çıkan başka kaynaklar da vardır. Mesela Yirmisekiz Çelebi Mehmet Efendi Seyahatnamesi... Hiç şüphesiz ki Fransız devri dediğimiz, yani XV. Louis'nin çocuk krallığına rastlayan, bu dönemi sadece Yirmisekiz Çelebi Mehmet Efendi'den öğrenecek değiliz. Bu döneme dair kayıtların, resmî-gayriresmî mektupların, kitapların haddi hesabı yok. Bunları yetmiş iki millet incelemiş, çünkü Fransa o zamanlar medeniyetin, Garp medeniyetinin kaynağı. Peki niye bu insanlar, sadece Türkologlar değil Fransız sosyologu da dâhil bütün Avrupalı sosyologlar, tarihçiler, Yirmisekiz Çelebi Mehmet Efendi'nin sefaretname tercümesine saldırıyorlar? Çünkü başka bir göz, başka bir eleştiri, başka türlü bir zihniyete has bir hayranlık söz konusu.

Buradan şu çıkıyor: Herhangi bir medeniyet, geçmişini anlamak için sadece kendi büyükbabalarının tuttuğu notlara ve kanaatlere değil, başkalarının değerlendirmelerine de bakmalıdır. Bunun böyle olduğunu bilmemiz gerekir. Hele Osmanlı medeniyeti ve devleti gibi, çeşitli milletlerin coğrafyası üzerinde kurulmuş, farklı etnik grupları idare etmiş, yeniçağlara hükmetmiş, 6 asır yaşamış bir devletin içtimaî hayatını, ekonomisini ve kültürünü anlamak için çok farklı kaynaklara başvurmak bir mecburiyettir.

XIX. yüzyıl işte bu değişik veçhelerden bakan kaynakların bırakıldığı dönemdir. XIX. yüzyılda Olivier gibi birisi çıkıyor, yukarıda bahsettiğim Yirmisekiz Çelebi Mehmet Efendi gibi birisi çıkıyor, sonraları Texier ve Mordtman çıkıyor. Bunlar artık bu medeniyete, sadece maddî çevreye bakarak değil, kendi önyargılarıyla da yanaşıyorlar. Çok bilgili kişiler oldukları, hatta Türkçe bildikleri için bu önyargıları bir kalemde atamayız; elimizin tersiyle de itemeyiz. Dikkatle anlamak zorundayız. Unutmayalım ki XIX. yüzyılın Türk seyahatnameleri de çok ilginçtir. Mesela Direktör Ali Bey'in "Bağdat'tan Hindistan'a" kadar giderken yazdığı seyahatname son derece ilginçtir. Direktör Ali Bey zamanın Bağdatı'na, ki bu aşağı yukarı Mithat Paşa'nın reformlar yaptığı bir Bağdat'tır, nasıl yaklaşmaktadır, onu nasıl gözlemlemektedir, Hindistan'a nasıl bakmaktadır? Türklerin kaleme aldığı diğer Hindistan seyahatnameleri de böyledir.

Asıl önemlisi, XX. yüzyılın Türk seyyahı, ki başlarında Falih Rıfkı Atay gelir, dış dünyaya nasıl bakmıştır? Balkanlar'a Batı Avrupa'ya, komünist Rusya'ya, faşist İtalya'ya ve o zamanki Britanya Hindistanı'na.

Herhangi bir yerde bir siyasî görüşün, bir dünya görüşünün izlerine rastlamamak mümkün değildir. Seyahatnameler sadece maddî olayları, maddî varlıkları, geçmişi tespit edebileceğimiz kaynaklar değil; fakat tarihçi için anlaşılması en zor alanı anlaşılır kılan kaynaklardır. İnsanların zihniyeti, kafalarının içi, dünyaya ve komşuya bakışları...

Bu bakımdan seyahatnamelerin derhal Türkçeye çevrilmesi, çeviri yoluyla kazanılması gerekmektedir. Oysa bizler bunu yapmak bir yana seyahatname yazan, hem de iyisini yazan kendi ecdadımızınkini eski harflerden yenisine aktaramadık. Bunlar gazetenin, mektubun, resmî evrakın, resmî kayıtların veremediğini verecek kaynaklardır. Bu noktayı unutmamalıyız.

AVRUPA NEDİR, NERELERİ KAPSAR?

Avrupa bir birliktir. Ancak bu birliği bütün Avrupa'nın siyasî-coğrafî sınırlarını kapsayacak şekilde genişletmemek gerekir. Bizim Avrupa Birliği'nden anlayacağımız şey, bugünkü batı ve kuzeybatı Avrupa olmalıdır. Avrupa Birliği her şeyden önce siyasî bir ortaklıktır. Çünkü Roma İmparatorluğu yıkıldıktan hemen sonra bu sahaya yerleşen barbar krallıklarla birlikte burada gevşek bir siyasî birlik ortaya çıkmıştır. Avrupa'nın bundan sonraki siyasî müesseseleri, içtimaî gelişmesi ve hatta hukukî yapısı, bu gevşek yapılı imparatorluğun izleri üzerinde gelişecektir. Hiç şüphe yok ki bugünkü AB; hem ekonomik, hem siyasî, hem de kültürel açıdan en organize, en yaygın, en hâkim dinî kuruluştur. Bunun etrafında bir Avrupa şekillenmiştir.

Bugünkü Avrupa'yı ortaçağlar çıkarmıştır. Gerçi Avrupa kendisinin Romalı ve giderek Hellen olduğunu söylemektedir. Ama Hellenlik ve Romalılık, bugünkü Avrupa'dan çok, belki Akdeniz'in doğusundaki milletleri kapsayan bir medeniyettir. Bu yönüyle Hellenlik ve Romalılık üniversaldir; bir tarafı bir taraftan ayıran unsur değildir. Kaldı ki Hellen uygarlığıyla Avrupa

Doğu Akdeniz'e göre daha geç temasa geçmiştir. Hem de 14-15 asır kadar sonra.

Bugünkü Avrupa, IX. asırdan itibaren kendisine Mukaddes Roma diyen Büyük Batı İmparatorluğu'nun ve Katolik Kilisesi'nin elinde biçimlenen bir dünyadır. Ne yazık ki bizim bu dünyaya dair bilgilerimiz noksandır. Bu bilgileri okul düzeyinde öğretmediğimiz için, siyasî karar mekanizmalarında söz sahibi olan kimseler bile Avrupa hakkında yanlış bir kanaate kapılmaktadırlar.

Avrupa bir kontratlar sistemidir

Tarihî Avrupa bir kontratlar, akidler sistemidir. Bütün toplum belirli bir hiyerarşiye bağlıdır; alt-üst ilişkisi, düzgün bir akidle belirlenmiştir. İmparatorun düklerle ve kontlarla bir akdi vardır. İmparator, alttakilerin efendisidir; alttakiler kendisine tabi olur, imparator da onları korumakla, hukuklarına riayet etmekle mükelleftir. Bu hiyerarşik durum en alttaki köy baronlarına, üretimi sağlayan serfe yani köylüye kadar iner. Köylü, efendisine tabidir; arazisini terk edemez, belirli vergileri vermek ve angaryasını yerine getirmekle mükelleftir. Hatta evlilik zamanında 'gerdek resmi' ödenir; evlenilecek kızın ilk gecesi senyöre aittir. Bu mutlaka uygulanması gereken bir husus olmasa da böyle bir hukukî durum mevcuttur ve zaman zaman da uygulanmıştır.

Avrupa'da yöneten sınıflar, işi belirli bir hiyerarşi içinde ve irsî olarak götürmektedirler. Halbuki Doğu'da böyle irsî bir durum çok zayıftır; bazı yerlerde var, bazı yerlerde ise yoktur. Mesela Osmanlı İmparatorluğu'nda irsî bir vezir ve sancak beyi sınıfı mevcut değildir. Vilayetleri yöneten büyük beylerbeylerinin ve onların altındaki sancakbeylerinin hâkimiyetlerini irsen götürdükleri söylenemez, bu mümkün değildir.

Bu kontrat sistemi, Avrupa kıtasında çok erkenden bir tür kamusallık, bir amme müessesesi alışkanlığını doğurmuştur. Siyasetin bu sistem içerisinde yürütüldüğü açıktır. Tanrı'nın kurumu sayılan kilise de bu kontratlar sisteminin içindedir. O da belirli kontratlarla siyasî otoritenin dışında kalmayı bilmiştir. Mesela kilisenin içindeki tayinlere siyasî otorite karışmaz. İngiltere'deki en büyük din adamını İngiliz Kralı değil, Roma'daki Papa tayin ederdi. Almanya'nın devletçiklerinin başındaki başpiskoposları ve kardinalleri, Alman hükümdarları veya İmparator değil, Roma'daki Papa tayin ederdi. Macaristan'ın en büyük din adamını ve daha alttakileri, Macar Kralı değil, Roma'daki Papa tayin ederdi. Şüphesiz aralarında istişare olur, mahallî özelliklere ve taleplere kulak verilirdi.

Kilise Batı'da siyasetin öncüsü ve ustası olmuştur. Bu çok açıktır. Bir şehrin yönetiminde din adamları hemşehri sayılmazdı; şehir ahalisinin hemşehri olarak yaptıkları müşterek yemine katılmazlardı. Onların bağlılıkları kilisedeydi. Kilisenin şehir idaresiyle bağlantısı ise yine bir kontrat, bir akid, bir antlaşma konusuydu. Yahudiler hemşehri sayılmazdı, çünkü onların İncil'e göre yemin etmeleri mümkün değildi. Böyle bir şeyi ne onlar kabul ederdi, ne de Hıristiyanlar. Yahudiler sadece bir şehirde oturan insanlardı. Rey hakkı olan, seçen, seçilen hemşehriler değillerdi.

Bu kontratlar sistemiyle Batı Avrupalılar, çok erkenden, hukukî normlar çerçevesinde ilişkiler kurmayı başarmıştır. Bu yüzden de Antik Roma hukukunun müesseselerini alıp geliştirmeyi denemişlerdir. Hukukçuluğun üniversal zamanları, mekânları kapsayan teknikleri ve ilkeleri vardır. Batı Avrupa'nın hukukçuları, bir araya gelip tartışmayı, belirli kurumları, âdetleri ve kuralları birbirlerini referans göstererek geliştirmeyi öğrenmişlerdir. İşte bütün bunların neticesinde Avrupa, diplomasi sanatının doğup geliştiği yer olmuştur. Buna öncülük eden ülke de İtalya'dır. Nitekim İtalya, Doğu ile Batı arasında köprü olmakla birlikte, Avrupa'nın temel kurumlarının kurulmasına ve gelişmesine de öncülük etmiştir.

Evet, diplomasi sanatı Avrupa'nın önemli taraflarından biridir. Filoloji ve müzikte Avrupa, Doğu'nun önündedir ve hâlâ üstünlüğünü korumaktadır. Ama lütfen bu hükmü felsefeye, tıbba, fizik ve eczacılığa, teknik ve matematike, tarih ve coğrafya gibi dallara yaymayalım.

Avrupa kıtasına dair yanlışlarımız

Bizim Avrupa kıtası etrafında geliştirdiğimiz yanlışlar vardır. Evvelen; Protestanlığın "dinde reform" olduğunu düşünürüz. Bu reformla Avrupa'nın lâikleştiğini, Batı düşüncesinin yine bu reform sayesinde dinî kurumu tenkit ettiğini ve kendisini ondan kurtardığını ileri süreriz.

Gerçekten böyle midir?

Batı Avrupa'da din savaşları vardır. Avrupa kanlı bir bedel ödeyerek dini ve kiliseyi siyasetten uzaklaştırmıştır. Bu hiç de kolay olmamıştır. Dinin ve kilisenin siyasetten uzaklaştırılması durumunu lâikliğin temeli olarak görmek ne kadar doğrudur, bilemiyoruz. Protestanlığın çok liberal olduğu ve lâik düşünceyi getirdiği şeklinde yorumlar yapılmaktadır. Hatta Luther'in İncil'i çevirerek bir çığır açtığı söylenmektedir. Oysa İncil'i millî dile çeviren Luther değildir. Luther'den evvel de bu yapılmıştır. Luther, bunu yapanlardan biridir sadece. Evet, Luther İncil'i Alman diline çevirmiştir. Dili çok iyi kullanarak ve bunu Almanlar arasında yaygın olan bir lehçe ile yaparak dilin gelişmesine yardım etmesi de çok önemlidir. Ama İncil o dönemlerde Finceye, İsveççeye, Fransızcaya da çevrilmiştir.

İncil'in asıl eski İbranî, Aramî metinlerinin Yunanca-Latince çevirisini yapan (tenkitli metin biliminin ölçülerini ve filolojik yöntemleri kullanarak, önce metni düzeltip sonra millî bir dile çeviren) kişi Rotterdamlı Erasmus'tur. Erasmus, Rönesans Avrupası'nın ilk büyük entelektüel portresidir. Mesela Avrupalılar Erasmus'tan evvel, Musa'yı başında boynuzlarla tahayyül ederlerdi. Çünkü Musa'nın Tur-ı Sina'dan inişi, yanlış bir İbranca okuması ile değerlendirilirdi. Bu yanlış okuma sebebiyle "ker'en" sözü "karen" yani 'nur' 'boynuz' olurdu. Michelangelo'nun ünlü heykelinde, elinde On Emir'i tutan Musa peygamberin başında iki küçük boynuz vardır. Bu, metnin yanlış okunmasıyla ilgili popüler bir örnektir.

Demek ki Protestanlık, Avrupa'nın hayatında siyasî mekanizmalara ve siyasî parçalanmalara tekabül eden yeni bir yorumdur. Bu Luther'le başlamış bir hareket de değildir. Kendisinden iki asır kadar önce Jan Hus, Bohemyalı ünlü reformatör, aynı şeyi yapmaya teşebbüs etmiş ama muvaffak olamamıştır. Çekya, Protestanlığın öncüsü olacakken Katolik bir ülke olarak kalmıştır.

Bu hareketlerin ve kavgaların etrafında gelişen Avrupa, siyasal bakımdan ne kadar çekişmeli ise, kendi içinde de o kadar gelişen bir kıtadır. Avrupa çok ilginç bir şekilde, medeniyetin referansları bakımından bir merkez olmaktadır. Bir adam İngiltere'den Floransa'ya kadar aynı dili konuşarak seyahat edebilmekteydi. Tabii sadece Latince bilenlere rastlamak şartıyla...

Geç ortaçağda aydınlar, yeşermeye başlayan Yunan kültürünün ortak paydaları etrafında ortak bir dil geliştirmişlerdir. Avrupalılar giyimde, eğlencede, ikili ilişkilerde ortak bir tarzın etrafında toplanmaktadırlar. Aynı ressamları seyretmekte ve onlardan hoşlanmakta, aynı müziği dinlemektedirler. Hangi ülkeden olurlarsa olsunlar, sonuçta kilise gibi birleştirici bir kurum etrafında toplanmaktadırlar.

Avrupa işte bu kurumlarıyla Avrupa olmuştur. Bu durumun kıtanın tamamını kapsamadığı açıktır. Mesela Balkanlar ve Rusya bunun dışındadır. Rusya ancak XVIII. yüzyıldan sonra bu atmosferin içine girmeye çalışmıştır ki Rus Batılılaşması, Türk Batılılaşmasına göre daha erken, daha yoğun ve yaygındır. Ama bir yerde, yine de bizim gibi Batılılaşan bir ülkedir Rusya; başından beri Avrupalılığın içinde değildir. Sonradan Avrupa'nın içinde yer almaya çalışmıştır. Çalışmıştır da ne olmuştur? Bazı yerlerde boynuz kulağı geçmiştir. Gelin görün ki kulağı geçen bu boynuzu, Avrupa hâlâ kendinden addetmemektedir. Mesela IV. Henry'nin nazırlarının büyük ideali, Osmanlı İmparatorluğu ile Rusya'yı Avrupa milletler topluluğuna dâhil etmemektir. Aristokrat ve idareci sınıftaki bu eğilim halkta da vardır. XVIII. yüzyılda Avusturya'da resimli bir halk işi tabloda milletler yer alıp sıralanıyor. Burada istenmeyenlerin başında Türk ve Grek bir arada zikredilmektedir. Sonra da "Moskovith" diye Rus yer almaktadır. Bunların dinleri bile birbirine benzer görülmekte, bu halklar adeta aforoz edilmektedir. İşte bu Avrupa, muhtelif yaklaşımlara rağmen Türk unsuruyla bağdaşmakta büyük zorluklar çekmektedir.

Avrupa ideali ne 1960'larda doğmuştur, ne de General de Gaulle ve Adenauer bu işin öncüleridir. Hitler, Pétain ve Fransa'nın diğer politikacıları daha önceleri bu ideal için birlikte çalışmışlardır. Bu durum, anti-semitizm, anti-komünizm ve anti-sosyalizmde birleşen bir diktatoryayı doğuran bir rejim olarak anılarda kalsa da, Fransa-Almanya ittifakına ve Avrupa'nın kuruluşuna sebep olmuştur.

"*Çok partili rejimler, Avrupa'nın geliştirdiği bir şeydir*" diyemeyiz. Çünkü karşımızda Avrupa'yı bir baştan bir başa istila eden bir Napoleon vardır. Kurduğu Avrupa, Campo Formio Antlaşması'nın Avrupasıdır, Austerlitz'deki savaşla kurulan Avrupadır. Burada eski Avrupa'nın bazı unsurları tarihe karışmaktadır. Ayrıca Napoleon'un iddialarına ve ideallerine karşı çıkan Avrupalılar, 1815'te, Viyana Kongresi'nde yeniden bir Avrupa kurmak istemişler fakat başaramamışlardır. Çünkü bu Avrupa'ya da tepkiler başlamıştır. Nihayet 1856'da Paris Konvansiyonu'ndaki Avrupa'nın içinde, Osmanlı İmparatorluğu tam üye ve büyük devlet olarak yer almaktadır.

Avrupa Birliği, Fransa'nın millî kahramanı General de Gaulle'ün önderliğinde dünyaya gelmiştir. Gerçi onun zamanında bu birlik henüz sadece iktisadî bir bütünleşme hedefi etrafında oluşmaktaydı. Kendisine tabi olan Federal Şansölye Adenauer bugünkü birleşik Almanya'yı bile hayal etmiyordu, etmeye de niyeti yoktu. Onun Federal Almanyası için komünizmin ve ona bulaşan Doğu Almanya'nın mümkün mertebe kapı dışında kalmasında hiçbir mahzur yoktu.

Mareşal de Gaulle eski bir Fransızdı. Derin tecrübesi ve önsezisinden dolayı mağrur olmaktan çok vakurdu. Fransa'nın gururlanacak hali kalmadığının farkındaydı; ama büyük Fransız ulusu(!), tarihî mirasını muhafaza etmeli ve vekarına sahip olmalıydı. Kıta Avrupası'nı İngiltere'nin şerrinden korumak için illa Mareşal Pétain'in yoluna, yani Nazi düşmanla işbirliğine gitmeye ihtiyaç yoktu. Mağlup ama zengin, muhafazakâr demokrat Almanya ile yeni Avrupa pekâlâ inşa edilebilirdi. Onların yeniden kuracağı Charlemagne Avrupası'na, yanı başlarındaki Benelux denen Belçika, Hollanda, Lüksemburg; ayrıca güneyi o tarihte çok fakir olsa da (bugün de pek matah değil) kuzey canibi zengin ve endüstriyel İtalya da bu ittifaka dâhil olmalıydı.

Avrupa buydu. Almanya, İngiltere'yi istese de, de Gaulle Fransası buna şiddetle direndi. Bugünkü kalabalık Avrupa'yı ne Fransa ne Almanya isterdi. Onlar için Portekiz, İspanya, Yunanistan söz konusu olamazdı; velev ki komünizmin yıkılacağı tutsa da Macarlar, hele Polonezler gibi sözü sohbeti, çalgısı çengisi hoş ama agrar (tarımsal) milletlerin böyle birliklere alınması düşünülemezdi bile... Çeklerin eskimiş sanayii de kimseyi alakadar etmezdi. Almanların kardeş Avusturya'ya dahi sıcak bakmaları için 1970'lerin başına kadar beklemek gerekti. Avusturya o zaman verimli bir ortak sayılmazdı. Bugün de ihtiyar bir ülkedir ama zaten 1970'lerin sonunda iktisaden Almanya'nın bir parçasıydı.

Bugünkü geniş Avrupa'yı yaratan saikler muhteliftir. Genç nüfus isteyenler (Gerçi artık Avrupa'nın hiçbir bölgesinde genç nüfus kalmadı) veya sosyalist eğilimleri dolayısıyla güneyli ve doğulu kardeşlerini aralarında görmeyi dileyenler veya eski Britanya Dışişleri Bakanı Lord Owen'ın söylediği gibi "kendilerine ahlakî borç duyulan büyük Avrupa'nın parçaları"nı, yani Çekya'yı, Polonya'yı, Macaristan'ı yanlarında isteyen birtakım romantik görünümlü ve yanlış hesaplı Avrupa siyasîleri, bu bölgelere yönelmenin sebebidir.

Kısacası, şunun üzerinde durmamız gerekmektedir: Avrupa Birliği Rönesans'tan beri değişen bir idealdir. Bu birliğin kültürel temelleri vardır. Bu yönüyle, iktisadî yapısından daha sağlamdır. İçerdiği unsurlarla birlikte bu birlik, bugünkü Avrupa kıtasının tümünü kapsamamaktadır. Bunun üzerinde durmamız gerekir.

Şimdi bütün bu açıklamalardan sonra şöyle bir soru sorulabilir: Avrupa nedir? Nereleri kapsar? Cevabını sarahaten bilen var mı?

ROMALILIK, TÜRKİYELİLİK, OSMANLILIK

Eskilerin *Türkiya* diye telaffuz ettikleri vatanımızın isim babaları, bir bakıma ortaçağların becerikli, gözlemi kuvvetli, dünyayı tanıyan İtalyan tüccar cumhuriyetleri olduğunu belirttik. 12. yüzyılda Küçük Asya'daki yerleşimleri dört köşeyi kaplayan dedelerimizin Türkçesi, bu kıtada yaşayan başka kavimlerin ortak anlaşma dili haline geldiğinden; Cenovalı, Venedikli tüccarlar ve diplomatlar ülkemize *Turchia* veya *Turcmenia* dediler. Bizim dedelerimiz o zaman Roma İmparatorluğu'nun varisi olma iddiasındaydılar ve Bizanslıların kendilerine Romalı demesi gibi, Romalı anlamında *Rumi* kelimesini kullandılar. Bu isim zamanla tutundu, büyük adamlara bu unvan veriliyordu. Belh'ten gelmesine rağmen Mevlana Celaleddin hazretlerine Rumi denmesi gibi, bu topraklara hükmeden hanedana da Roma (Rum) Selçukluları denirdi.

Romalılık modern çağlarda yaşaması mümkün olmayan bir emperyal kavramdır. Bahsettiğimiz dönemlerde kiliseye dahi Roma, yani Rum-Ortodoks kilisesi denilirdi. Bugün Batılılar bu kelimeyi Hellen Ortodoks anlamında Grek Ortodoks diye yanlış kullanıyorlar; kilise de Romalılık kavramının zaten bütün dünyayı kapsadığını unutmuş, "okumenik" kavramı peşinde koşuyor.

Romalılık bütün dinlere ve dillere mensup olanları bir çatıda toplardı. Modern zamanlarda bunu yaşatmak mümkün değildir. Söğüt'te teşekkül eden beylik kısa zamanda cihanşümul oldu, ama bütün İslam devletleri gibi hanedanın ismini taşıdı. Geçmiş asırlarda "Osmanlı" hanedanın ve ona mensup olan devletlilerin adıydı; bir halkın kimliği olarak kullanılmadı. Osmanlılığın emperyal bir kimlik haline dönüşmesi, 19. yüzyılın ulusalcı Avrupası'nı gözleyen ve göğüsleyen Babıâli yöneticilerinin icadıdır. Kavram, bütün milletleri, çeşitli dinden ve dilden bütün kavimleri kapsar gibiyse de imparatorluğun tebaasını yeterince kucaklayamadı ve Osmanlılık bir Rum milletvekilinin tarifiyle; *"Osmanlı Bankası ne kadar Osmanlı ise o kadar Osmanlı"* olarak eridi, Türk halkı arasında ve Avrupa edebiyatında yaşadı. Ne var ki Cumhuriyet'i kuranlar da Türk deyimini hiç değilse başlangıçta Osmanlı kadar geniş tutmuşlardır, kavramın 1924 anayasasındaki kullanılışı bu genişlik içindedir.

19. yüzyılda imparatorluk tebaasından herhangi birinin *"Biz Osmanlıyız"* demesi veya bürokrasinin Osmanlı pasaportundan söz etmesi emperyal bir tutumdu. Gerçi, Avrupalıların Türk İmparatorluğu demesi gibi bazı ahvalde Rodoplar'daki Bulgarlar da Türk İmparatorluğu'ndan ve Türkiye'den söz ederlerdi. Ama bu "Osmanlılık" umumî bir deyimdi, o dahi tutunamadı.

Avrupa'da coğrafyaya göre isimlendirilen ülke pek azdır. Büyük Britanya ve artık resmen kullanılsa da pek sevilmeyen "British" terimi böyledir. Son kalıntı Avusturya'dır, Österreich; doğu devleti demek olan bu ülkenin sakinlerine de Österreicher, Avusturyalı adı verilmiştir. Avusturyalılık bir ara Almanları,

Trieste İtalyanlarını, bazı Çekleri içeren ve sevilen bir isim olduysa da sonunda onlar da herkes gibi bu unvana isyan ettiler. Bugün Avusturya ismi ihtiyar halkın yorgunluğundan, dolu kasalarından ve Avusturya'da artık Alman'dan başka kayda değer bir halk grubunun olmamasından dolayı yaşıyor.

Bir müddettir gazete sütunlarında Fransa, İtalya, Almanya gibi tabirlerin böyle olduğundan söz ediliyor. Hatta bence ansiklopedi ve sözlüklerde çok açık anlatıldığı halde, yanıltma yoluna sapılarak bu isimleri coğrafyayla aynîleştirip etnik kimliği pas geçme eğilimi var. Avrupa kıtasında İspanya gibi, iki küçük azınlık grubunu tanıdığı halde kendileri Endülüslü, Aragonlu veya Kastilyalı olan etnik İspanyolların bu etnik ismini ayrı dil konuşan Katalan ve Basklara da örtüştüren bir devlet vardır. Gene Bröton, Bask ve Korsikalı gibi ayrı dil sahibi azınlıklarına aldırmadan kendi tarihî ismini kullanan Fransa da onun yanı başındadır. Bu tarihtir ve bu ülkelerin geldikleri nokta onlara başka bir seçim bırakmamaktadır.

Türkiye tabiri hâkim etnik gruba göre, ülkemize başkalarının verdiği bir isimdir. Şimdi bir de Türkiyeli tabiri yaratmanın mantıkla bağdaşır bir yanı olamaz. Kaldı ki, bu gibi mantık çıkmazlarını önlemenin önemli bir yolu tercüme etmekten geçer. Bir çevirin bakalım, Türkiyeli'yi hangi gümrükten nasıl çevirip geçeceğiz? Size kimlik soruyorlar, kimliğinizi açık söyleyin. Türkiyeli bir üst kimlik olamaz. Başkaları da başka bir kelimeyi üst kimlik olarak kullanmaya kalkarsa ne dersiniz?

Terimlerin nasıl oluştuğunu bilmek için çocukların lego oyunu gibi zihinsel idman yapmak yetmez. Kelimelerin arkasında uzun bir tarih, beklenmedik metaforlar ve değişimler yatar. Filoloji ve tarih bilgisinden yoksun olarak, masa başında ortaya konan bazı terimlerin hiç kimseye bir ufuk açacağına inanmıyoruz. Zaten işin garibi, kimse de bazı gayretkeşlerden bu gibi zihin oyunları istemiyor. Türk aydınları, ta Ziya Gökalp'ten beri, üstünkörü sözlüklere bakarak ortalığa kendilerince büyük ve ufuk açıcı kavramlar atmakla meşguldür. Hepsi biraz ortalığı karıştırır, sonra da unutulur gider.

Birileri diyor ki: *"Amerikalı oluyor da Türkiyeli niye olmasın?"* Şüphesiz ikisine de göçmenler gelmiş, ama birine silahlı kafilelerle; öbürüne ise bavulu, vapur bileti ve özgür iradesiyle. Birinin adı Christophe Colomb'un farkına varmadığı bir bilinmezi, yeni kıtayı bilinir kıldığı için ismi verilen Cenovalı bir kaptandan, Amerigo Vespucci'den geliyor. Diğerininki ise XII. asırdan.

Sorsanız iyice okumuş yazmışların dışında sokaktaki Amerikalıların çoğu bile Vespucci'yi bilmez. Hiçbir kavimle, hiçbir dil ve dinle alakası kurulmayan bir âdem ismi, yeni keşfedilen kozmopolit bir kıtaya verilmiş. Öte yanda ise Küçük Asya'nın XII. asırdan bu yana gelen adı var. Bu adın anlamıyla ve bunun o ülke üzerindeki tarihî oluşumuyla "Amerikalı" tabiri arasından paralellik kurabilmek için ancak bizim memlekette sözde tarih ve coğrafya okumuş olup, gerçeklerden bihaber olmak lazımdır.

OSMANLI MİRASI

Kimileri, tarihin oluşumunda savaşların ve antlaşmaların önemli olmadığını söyler. Tarihin; sanatın, ekonominin, felsefenin ve bilimin izahına dayandığını iddia ederler. Bu boş bir yorum değildir, saygıya değerdir ve reddi de mümkün değildir. Ancak antlaşmaları ve savaşları da görmezlikten gelemeyiz. Zira bazı antlaşmalar ulusları oluşturur.

Mesela Ahıska (Meshet) Türkleri'nden bahsedip duruyoruz. Bunlar Eski Sovyetler Birliği'nin muhtelif yerlerine sürülmüş ve şimdiki Türk Cumhuriyetlerinde sorun haline gelmişlerdir. Niçin? Seksen sene evvel Doğu sınırımız 50 km daha doğudan geçseydi, bugün bu sorun olmayacaktı. Oysa sınır, evin ortasından geçti; mutfak ve oturma odası bir tarafta kaldı, yatak odası diğer tarafta... Bu durum, ekonomik ve kültürel gelişmelerle oluşmadı, bu sınırları çizen şey savaş idi. Evet, o sınır 50 km daha doğudan geçseydi bugün Ahıska (Mesket) Türkleri gibi sorunlarla uğraşmayacaktık. Oysa bugünkü Türkiye için bu bir dış sorun konusudur. Demek ki bu tamamen tarihin bir ürünüdür.

Yine Ukrayna diye bir millet, bir etnik grup vardır; onlar da bir dile, edebiyata ve dine sahiptirler. Ukrayna, evvelce bir siyasî oluşum değildi, oysa bugün Ukrayna diye bağımsız bir devletten bahsediyoruz. İşte bu kimliği besleyen ve oluşturan en önemli unsur, siyasî tarihin kendisidir. Harplerle ve barış antlaşmalarıyla sınırları tespit edilmiş bir ülkedir burası. Demek ki siyasî tarih, savaşların tarihinin önemli bir safhasıdır. Bu sebeple, Osmanlı tarihini ele aldığımızda, tarih bilinci diye bir şeyden bahsedildiğinde, bütün savaşlarıyla, antlaşmalarıyla ve barışlarıyla tarihi bir bütün olarak bilmemiz lazımdır.

Osmanlı tarihyazımı, ne yazık ki, başarılı bir yazım değildir. Oysa Osmanlı Türklerinin muhteşem bir tarihi vardır, Avrupa Tarihi'nin oluşumunda vazgeçilmez bir parçadırlar. Bunun içindir ki, Avrupa milletlerinin %80'i bugün Osmanlı tarihini ciddi bir şekilde etüt etmektedir. Bütün Balkanlar ve Orta Avrupa ülkeleri için böyle olduğu gibi, doğrudan Osmanlı hâkimiyetine girmemiş komşu ülkeler için de bu böyledir. Mesela Avusturya, İtalya ve Polonya da bu tarihin bir parçasıdır. Çünkü tarihleri boyunca, bütün askerî ve dış politikaları ve medeniyetleri bununla temas ederek şekillenmiştir. Durum böyleyken, başkaları Osmanlı tarihini sağlıklı bir şekilde okurken, biz bunu yapmamakta, kendi tarihimizi çalışmamaktayız. Bizde iyi bir Osmanlı tarihi yazılmamış, büyük sentezler ortaya konulmamıştır. Bu olmadığı gibi, halka indirgenmiş, vülgarize edilmiş bir tarihyazımı da yoktur. Mesela okul kitaplarındaki tarih, ihtiyacı karşılamaktan uzaktır. Oysa keyfiyet bütün uluslar için geçerlidir; tarih ancak okullarda öğrenilebilir.

Büyük Osmanlı tarihçileri kimlerdir? Bizim ilk büyük tarihçimiz, şüphesiz ki Ahmet Cevdet Paşa'dır. XIX. asır Türkiye'sinin, Türk edebiyatı ve hukukçuluğunun dehasıdır Ahmet Cevdet Paşa. 12 ciltlik *Tarih-i Cevdet*, itiraf etmeliyim, bugünkü Türkçe Latin harflerine doğru dürüst çevrilememiştir. Yüz sene evvel hayatımızın içinde olan bir dil ile yazılmış bu eseri bugün anlayamıyoruz. Çünkü o dil bize çok ağdalı geliyor. O dilde yazılmış eserleri bugünkü dile sağlıklı bir şekilde çeviren bir yazarımız da yok. Yakın sayılan bir zamanda yaşamış ve yazmış Fuat Köprülü'yü bile okuyamıyor, dolayısıyla tanımıyoruz. Onun eski risalelerde ve gazete sayfalarında kalmış nice makaleleri var ki, bunları derlemiş değiliz. Daha ilginci, tamamen yeni harflerle yazmış rahmetli Ömer Lütfi Barkan'ı bile tam anlamıyla bilmiyoruz. Halbuki bunlar, üslupları ve metotları itibarıyla modern Türk tarihçiliğinin öncüleridir.

Türkiye, tarih okumuyor. Yazılan tarih sentezlerini halka mal edilecek şekilde yeni bir üslupla kaleme alamıyoruz. Biz çocuklarına ve gençlerine bir şey veremeyen nesilleriz. Kendimizden öncekilerden ne aldığımız tartışılabilir, ancak şu bir gerçek ki bizden sonrakilere de biz bir şeyler veremiyoruz. Oysa mazisini bilmeyen bir toplumun geleceğini inşa etmesi düşünülemez.

Israrla geçmişe mesafeli duruyoruz, tarihimizi bir dönemden sonra başlatıyoruz ki bu hiç doğru değildir. Hiçbir toplumun, pasta dilimler gibi, zamanı bir yerden bıçakla kesme lüksü yoktur. Fransa tarihinin büyük düşünürlerinden biri, *Alexis de Tocqueville*; "Eski Rejim ve Devrim" [l'Ancien Régime et la Revolution] adlı eserinde Fransız İhtilali'nin, Fransız idare sistemi ve bürokrasisinde yeni bir şey yaratmadığını, hiçbir önemli yenilik getirmediğini, eskinin ve sistemin devamı olduğunu ifade etmektedir. Doğrusu da budur. Napoleon'un yaptığı reformlar bile, XIV, XV, XVI. Louis devirlerindeki reformların bir uzantısıdır.

Bu bakımdan mevcut bünyeyi ve mekanizmayı anlamak için, tarihi çok iyi bilmek, hukuk ve idare tarihinin esaslarını anlamak durumundayız. Bu temel bir unsurdur. Hiçbir unsur tek başına dünyayı ve toplumu yeniden oluşturamaz. Bu, mümkün değildir. Toplum devamlı üreyen, ölen, nesilden nesile birtakım şeyleri miras bırakan büyük bir organizmadır. Sonuç olarak, Türkiye de, Osmanlı mirasını sürdürmektedir ki Türk tarihi, bir anlamda Osmanlı devlet tarihidir. Bu takdirde şunu söylemek gerekiyor: Türkçe yazılı Türk tarihi içinde, Osmanlı tarihi ve Osmanlı devlet yapısı bir zirveyi ifade eder. Bütün o Osmanlı öncesi asırlar, adeta Osmanlı İmparatorluğu'nu ve Osmanlı medeniyetini inşa etmek için gayret göstermişlerdir. Böylesi bir tarihsel ustalık, bir değer söz konusudur. Türkiye Cumhuriyeti bu değerin devamı bir devlettir.

Bu şu anlama geliyor: Osmanlı Devleti'nin mirası her anlamıyla Türklere yüklenmiştir. Ordumuzla, bürokrasimizle, hatta borçlarımızla Osmanlı'nın devamıyız. Bilindiği gibi, Türkiye Cumhuriyeti ilan edildiğinde Osmanlı'nın borçları inkâr edilmemiştir. Türkiye, Rusya gibi yapmamıştır. Onlar "Çarın borcu bizi ilgilendirmez" demişlerdir. O zamanki fakir Türkiye, tahıl ülkesi Türkiye ise Osmanlı'nın borçlarını yüklenmiştir. Hukukî halefiyet ve ulusal ahlâk bunu gerektirir.

DOĞU VE BATI AYRIMLARI

Genellikle Doğu–Batı ayrımı, çağdaş düşüncenin, XIX. ve XX. yüzyıl düşüncesinin temel eksenidir. Bu karşıtlık, sadece toplumların kültürel anlayışlarını değil, siyaseti de etkilemiştir. Medeniyet tarihine dayanılarak ortaya konan bu ayrım, hem kafaları hem de sokağı şekillendirmiştir. İnsanlar tarihten ve coğrafyadan bir şey anlamadan, çok da fazla düşünmeden yazmakta, politika yapmakta, hatta işi sokak kavgasına kadar götürebilmektedirler.

Doğu nedir? Batı nedir?

Batı medeniyeti, Hellen-Hıristiyan bir uygarlıktır deniyor. Hıristiyan uygarlık dediğimiz şey, aslında Doğulu tek tanrılı semavî dinlerin bir devamıdır. Hıristiyanlık ise, özde Yahudiliğe yaslanır; Yahudiliğin beynelmilelleşmiş bir boyutudur ve inananları için son vahiy, son risalettir. İslam da aynı kaynaktan devam etmektedir. İslam şeriatı, kendinden evvelki dinleri ve şeriatları tanımaktadır. Eğer mesele Hellenizm, Yunan felsefesi ve bilimi ise; bugünkü Ortadoğu, yani Akdeniz'in doğusu, Kuzeydoğu Avrupa'dan çok daha evvel Hellen medeniyetiyle, yani

153

Yunan felsefesiyle tanışmıştır. Ortadoğu'da Yunancadan çeviriler yapıldığında, yani Yunan siyasî düşüncesi ve biliminin nakli tamamladığında, henüz Güneybatı Avrupa'da böyle bir süreç ve emare görülmemektedir.

Hellenizasyon, havalideki bütün milletleri kapsayan bir süreçtir. Hellenizasyon ve Yunanlılık, kendi başına orijinal bir yaklaşım değildir. Yunan bilimi, geometrisi, düşüncesi, hatta dini ve mitolojisi, Doğu'daki din ve uygarlıklardan kaynaklanmaktadır ve hiç şüphesiz ki, Doğu'da farklı bir bilim ve dünya görüşünün olduğu düşüncesi de bir Batı efsanesidir. Sanılır ki Doğu, bilimsel düşünceye sahip değildir; o, kendinden evvelkileri tekrarlar. Doğu metafizik safhadayken, Batı ilmî safhadadır.

Tam da burada bir hatırayı nakletmek gerek: 1910'larda Darü'l-Fünun'dan bir tabip heyeti Almanya'ya geziye davet edilmiştir. İçlerindeki hocalardan Hulki Bey hatıratında anlatıyor; heyet Robert Koch Enstitüsü'nü gezerken oradaki laboratuarları, hasta bakımını, çalışma yöntemlerini takdirle, hatta hayranlıkla izlemektedir. Bu hayranlık içinde Almanlara bazı sorular yöneltirler. Alman meslektaşları bu sorular karşısında hayret ve şaşkınlık içinde kalırlar. Meğerse onlar, Osmanlı başkentinden gelen üniversiteli meslektaşlarının başka türlü bir anlayışla, büyücü tarzı bir hekimlikle uğraştıklarını zannediyorlarmış. Tıpkı Fransızların o devirde *le Toubibe* diye adlandırdıkları bir büyücü hekim gibi. İstanbul'dan gelen hekimlerin sordukları sualler, aradıkları şeyler, dikkatlerini yönelttikleri noktalar, onları çok şaşırtmış.

Dememiz şu ki Batı, henüz Akdeniz'in doğusunu iyi tanımamaktadır. İranlı ve Hintli entelektüellerin uğraşları, Türklerin uzmanlık alanlarında ortaya koydukları performans, Batı

Avrupa'nın yabancı kaldığı bir durumdur. Bunda belki birtakım siyasî anlaşmazlıkların, diplomatik gerilimlerin de etkisi vardır. Ama bu durum daha çok, Avrupa kültürel kimliğinin kendini olduğundan fazla abartmasından doğuyor. Zira Doğu'da oluşan uygarlık, Avrupa'ya göre geç devirlerde meydana gelmiştir. Avrupa'daki hızlı gelişme, Avrupa'nın kendini yüceltmesini ortaya çıkarmıştır. Avrupa, zihinlerde, merkezî bir ülke ve medeniyet olarak yer alır. Bu, haritalarında dahi böyle okunur. Avrupa, düşüncenin ve bilimin geliştiği, üzerinde ilerlemenin sağlandığı bir kıtadır. Mousnier'nin Fransız Akademisi adına yaptığı meşhur açıklama bunu göstermektedir: *"Avrupa hep değişir. Dünyanın diğer bölümlerinde ise atalet ve durgunluk vardır."* Seyyah Chardin de bunu söyler: *"Asya atalet, Avrupa ise değişme demektir."* 19. yüzyılın İngiliz şairi Lord Alfred Tennyson ise şöyle der: *"Çin'in 500 yılından ise, Avrupa'nın 50 yılı daha ilginçtir."*

Roma Sonrası Avrupa

Oysa Avrupa dediğimiz kıta; milad senelerinde, henüz tarihi tayin eden, tarihin gelişmesinde, beşeriyetin ilerlemesinde ve hareketliliğinde rolü olan bir kıta değildir. Bu kıtayı tarihe ve insanlığın bilincine açanlar Romalılardır. Zira önceleri buralar her türlü adaletsizliğin ve kapkaçın yürüdüğü bir kıtaydı. Güçlü kabile, diğerini son ferdine kadar ya öldürüyor ya da köle gibi topraklarında çalıştırıyordu. Julius Caesar, Galya'nın fethinden evvel buralara geldiğinde, bugünkü Almanya topraklarında Suebler, Galya topraklarında yaşayanlar ve Sekuanlar vardı. O sırada kabileler arasında çatışma başlıyor. Daha güçlü olan kabile diğerlerini toprak esiri olarak çalıştırıyor, bu duruma itiraz ediliyor, nihayet Romalılardan yardım isteniyor. Bunun üzerine Roma duruma müdahale ediyor, orada kendi imparatorluk düzenini ve adaletini kuruyor. Bu kıtadaki insanlar ancak Julius Caesar'ın Galya Savaşı'yla birlikte tarihe takdim edilebiliyorlar. Daha önceleri, kendilerini beşerî mirasa katacak yazılı bir edebiyattan ve tarihçilikten mahrumlar.

İnsanlık tarihine katkıda bulunan öncüler

Yeryüzünde kavimler iki kategoride yer alır. Bir tanesi tarihe, beşerî mirasa kendi çabaları ve ürettikleriyle çok önceden katılanlar; mesela Çinliler, İranlılar, Hintliler, Mısırlılar, Mezopotamya'dan Kaldeli, Asuri ve İbraniler ve Yunanlılar, insanlık tarihine katkı yapan öncülerdir. İkinci kategoride yer alanlar ise, bu sürece daha sonra katılmışlardır, ki bunlar genellikle Avrupa milletleridir. İnsanlık tarihine daha erken katılanlar arasında Türkler de vardır. VII. asırdaki yazılı kaynaklarımız bizlere daha öncelerini gösteriyor. Göktürk yazıtlarında, tarihe adım atan, yani kendini tanıyan bilinçli bir toplumdan açıkça söz ediliyor. Bundan evvel de, bazı kavimlerin yazıtlarında tarihe kendi dilimizle ve varlığımızla katıldığımızdan bahsediliyor.

Çinlilerin, Hintlilerin, daha sonra İranlıların, Bizans dediğimiz Yunan ve Roma mirasının hakkımızdaki kayıtları ortadır. Bunları incelememiz, maalesef kuzeybatı Avrupalıların kendileri hakkındaki Latince kaynakları incelemeleri kadar sarih, kesin ve kolay olmuyor. Bu filolojik metinlerin incelenmesi pek kolay değil. Ama bu bir şekilde yapılmıştır ve bunu yapanlar da, XVII. yüzyıldan beri yine Batılılar olmuştur. Türkler hakkında; Çince, Hintçe ve Pahlavi denen eski İran kaynaklarında bilgi vardır. Filoloji ve tarih alanında ortaya konulan düşük icraat ise, Türk milletinin büyük noksanlarından biridir. Oysa Türkler tarih yapan uluslardan biridir. Yerkürede Türklerin adının geçmediği hemen hemen hiçbir kompartıman yoktur. Almanya, Fransa, İspanya, özellikle Orta Avrupa, Rusya ve Ortadoğu tarihini Türksüz okumak mümkün değildir. Bununla birlikte, tarih yapımında bu kadar aktif olan bir ulus, tarihçilik alanında emeklemektedir.

Avrupa kimliği, olandan daha özgün, daha sanal, daha farazi bir şekilde ayrımlanmıştır. Tarihi bilgiler ışığında, Doğu Akdeniz'i veya Ortadoğu'daki medeniyeti Batı'dan ayırmak veya Batı'yı buralardan bağımsız düşünmek mümkün değildir. Bugünkü ayrımlar sanaldır ve Batı Avrupa, tarih boyunca büyük imparatorlukların ve müesseselerin devamlılık kazandığı bir kurum değildir. Daha küçük boydaki kuruluşlarla ve kamusal örgütlenmelerle oluşmuştur. Bu belki Avrupa'nın batısını ve kuzeybatısını, dünyanın diğer yerlerinden ayıran bir durumdur. Unutmayalım, Avrupa'nın tarihe katılımı çok daha geç devirlerde olmuştur.

Mesela şehirleşmede, insanoğlunun gelişiminde önemli yeri olan şehir medeniyetinin ortaya çıkışında, tarım reformunda, Doğu ile Batı arasında binlerce yılla ifade edilen bir fark vardır. MÖ 5000'li yıllarda Mezopotamya ve İran'da ziraat yapıldığından, şehirlerin ve devletin kurulduğundan bahsediliyor. Oysa bunlar Avrupa'da ancak milat civarı zamanlar için tartışılabiliyor. Fakat gelin görün ki aynı Avrupa, Sanayi Devrimi'ni bizden önce yapabilmiştir. Şehirlerin aniden büyüdüğü, milletlerin iktisadî refahının arttığı, hayatın her safhasında örgütlenmenin çok geliştiği Sanayi Devrimi'nde bizler Batı'yı çok değilse de belki bir buçuk asır geriden takip ediyoruz. Bu geriden takip sıralamasının başında Rusya vardır, sonra Türkiye ve İran gelir. Bunu

Ortadoğu'daki diğer halklar takip eder. Bu dönem, beşer tarihinin en sancılı safhasıdır. Bugün bu sancılı safha bütün şiddetiyle devam etmektedir. Yani biz bazılarının telkin ettiği gibi bir mutluluk ve ilerleme safhasından geçmiyoruz. Mücadelenin en derin, yaralı ve sıkıntılı safhasından geçiyoruz. Bunun üstesinden nasıl geleceğimiz konusu beşer tarihinin en önemli meselesidir. Bütün ahlakî sorunlarımız ve toplumsal tahlillerimiz bu eksenin etrafında toplanmaktadır.

Örgütlenen Avrupa

Yine bu çerçevede bir husus daha vardır ki bu çok daha önemlidir. Karşımızda örgütlenen bir Avrupa kıtası vardır. Bu örgütlenmenin tarihi nedir, ne zaman başlamaktadır? İşte asıl bunun üzerinde durmak gerekmektedir. Avrupalılık nedir? Bu çok eski bir düşünce ve birlik değildir. Yeryüzünde bundan daha eski birleşme eğilimleri vardır. Ama Avrupa bunu en etkin ve gürültülü bir şekilde götürmektedir. Sanmayınız ki Avrupa Birliği düşüncesi II. Dünya Savaşı'nda veya sonrasında ortaya çıkmış bir bilinç ve çabadır. Bu düşüncenin kökeni çok daha eskilere dayanır. Rönesans'tan beri bu alanda örgütlenmeler vardır.

Avrupa Birliği Napoleon'un, hatta -çok ilginçtir- Hitler'in idealidir ve Fransa ile birlikte bu yolda farklı ve hayli önemli adımlar atılmıştır. Nihayet Avrupa Birliği, II. Dünya Savaşı'ndan sonra demokrat muhafazakârların, General de Gaulle ve Konrad Adenauer gibilerinin ideali olmuştur. Başta iktisadî bir birlik olarak düşünülmüş, giderek kültürel birlik şeklinde ifade edilmiştir. Doğrusu da budur. Çünkü Avrupa, belirli bir dinin ve yaşam biçiminin etrafında şekillenmiştir. Bu birliğin üzerinde İspanya ve Fransa sarayının, Britanya parlamentarizminin etkisi ve imzası vardır. Fransız ve Alman edebiyatı ve felsefeleri, hepsinin anası İtalyan Rönesansı, bu birliği ve medeniyeti ortaya çıkarmıştır. Şimdi bu medeniyetin etrafında bir Avrupa'dan bahsedilmekte ve şu sorulmaktadır: Bazıları buraya ne kadar dâhildir? Evet, bazıları buraya ne kadar dâhildir? Fransız, İtalyan ve İsveçliyi düşününüz, bunlar birbirine ne kadar benziyor; hele İspanyol ile İsveçliyi düşününüz, bunlar birbirine ne kadar benziyor? Çağdaş Balkan milletlerinin ve Doğu Avrupa'nın durumu nedir?

OSMANLI BATILILAŞMASI

Batılılaşma sürecinden ve Batılılaşma hareketlerinden bahsedildiğinde akla hemen Türkiye geliyor. Sanki bu daha çok Türkiye'yi ilgilendiren bir meseleymiş gibi... Bu doğru değildir. Evet, Türkiye Batı'ya açılan, Batı'nın tekniklerini, ilmini, düşüncesini, modasını kabullenmeye teşne ilk İslam ülkesidir. Ama unutulmasın, bunu imparatorluktan kopan, hatta o tarihte henüz kopmamış olan Mısır ile birlikte yapmıştır. Gerçi Mısır'da Batı ile içli dışlı olmanın tarihi Osmanlı Türkiyesi kadar eski değildir.

Batılılaşma Türkiye ve Mısır ile sınırlı kalmamış, İran'a da sıçramıştır. Mesela XIX. ve XX. yüzyıl İranı'nda belirli sınıfların Batı kültürüne ve diline eğilimi daha fazla olmuştur. Bugün bizim gerici diye tanıdığımız "ayetullah" sınıfının içinde, Batı eğitimini bizlerden çok daha önce ve yoğun biçimde görenler vardır. Immanuel Kant'ın felsefesini ana diliyle takip eden, fizikçi olup felsefe yapan İranlı din adamları görülebilmektedir.

Türk Batılılaşmasının özelliği, ordunun ve sivil bürokrasinin etrafında gelişmiş olmasıdır. Batılılaşmaya gönüllü girişmiş sivil ve askerî bürokrasi bu süreci temellendirmiştir. Bu mevzuda bize benzeyen iki ülke daha vardır: Uzakdoğu'daki Japonya ve yanı başımızdaki Rusya.

Osmanlı ve Rus Batılılaşmasında Benzerlikler

Rusya'da Batılılaşma, Büyük Petro'nun eline verilmiştir. Büyük Petro'nun ani, radikal, kararlı hareketleriyle Rusya Batılılaşma ve reform çağına girmiş, Ortaçağ Rusyası peynir dilimleri gibi kesilip atılmaya çalışılmıştır. Şunu unutmamak gerekir: Tarihte böyle kesin dönemeçler yoktur ve zamanlar böyle peynir kalıbı gibi birbirinden ayrılamaz, ani değişiklikler akşamdan sabaha olmaz. Zira cemiyet hayatı bir bütünlük içinde akar. Cemiyet hayatının gelişimini bir ölçüde kontrol edebilir, yönlendirebilirsiniz; ama her şey tamamıyla idarecinin ve seçkinlerin elinde değildir. İstenen sonuçlar, istenen ölçüde sağlanamadığı gibi, istenmeyen veya öngörülemeyen hareket ve akımlar da ortaya çıkabilir.

Rusya'da Batılılık unsuru Büyük Petro'dan evvel de zayıf da olsa vardı. XVI-XVII. yüzyıldan itibaren insanlar Fransa'ya, İtalya'ya, o dillere ve kültürlere merak sarmıştı. Alman dili ve ticarî yöntemleri Rusya'da yavaş yavaş hâkim olmaya başlamıştı. Büyük Petro "Batılılaşacağım" dediğinde, etrafında bu ideale gönül vermiş insanlar bulmuştu.

Aynı durum bizim için de söz konusudur. Osmanlı Batılılaşması da benzer tenakuzlar, çelişkiler yumağı içinde gerçekleşmiştir. Başta şunu bilmeliyiz: Avrupa'ya öykünme, II. Mahmut'la başlamadı. II. Mahmut Osmanlı modernleşmesinin hareket emrini verdiğinde, imparatorluktaki bazı kurumlarda bu güzergâhtaki ilerlemeler çoktan başlamıştı. Mesela II. Mahmut Batı tipi bir mühendisliği ilk kez ithal etmiş değildir, bu zaten imparatorlukta uygulanıyordu. Tıp konusunda da durum böyle olmuştur. Kaldı ki XVIII. asırdasınız, ordularınız Avusturyalılarla ve Rusyalılarla kavga ediyor, karşınızdaki ordular modern dönemin kışlalarına, bitişik harp nizamına, topçuluğuna ve mühendisliğine sahip. Bunlarla baş etmeniz ancak bir şekilde mümkün: O ordulardaki mühendisliği, tıp ve cerrahlığı, veterinerliği benimsemeniz yoluyla. O dönemde Osmanlı'da tıp okulu olmasa da tıp ekolü vardır. Mühendislik ise zaten okullaşmıştır. Okullaşan mühendislikle birlikte matematik, trigonometri, sonra fizik kuralları, kimya ve yabancı dil, yabancı dilde okunan eserler ve arkasından aileye yabancı eğitmenler gelmiştir.

Batılılaşmamızın Zaaf Noktaları

XIX. yüzyılın insanları, bu mirasın etrafında, Batı felsefesine ve edebiyatına yönelmiştir. Osmanlı Batılılaşmasının Rusya'dakine göre zaafı buradadır. Hatta bu konuda bizden çok daha ileride görünen İran'a göre de bir zaafımız vardır. Fizik, mühendislik ve tıp öğrendik; yeni kurduğumuz okullar bu dallarda eğitim veriyor ama biz bunu bir şeyin üzerini çizerek yaptık, yapıyoruz: Medreseleri iyi değerlendiremedik. Bu kurum gerilemiş ve yerinde sayıyor olsa da orta çağlardan kalma bir geleneğe sahipti. Mesela iyi bir filoloji ve mantık eğitimi veriyordu, ki bunun temeli Eski Yunan felsefesine, mantığına dayanıyordu. Ortaçağların Doğusu'nda filolojik metotlar, gramer ve metin tetkikleri son derece gelişmişti. Batılılaşma ile birlikte bu damar epey hasar gördü. Batılılığımızın ve Batı eğitimimizin en büyük zaaf noktası buradadır. Ne Batılılaşmayı savunanlar medreselerin bu tarafını gördüler, ne de medreseler Batı'daki gelişmelerden haberdar oldular. Batıcılar ve medreseliler birbirlerini gırtlaklayarak yollarına devam ettiler.

XIX. yüzyıl Batılılaşmasının fotoğrafı budur. Bir farkla! Bu fotoğrafta yer almayan, başka türlü duranlar da vardır. Mesela Ahmet Cevdet Paşa farklı bir yerde durur. Batı tipi bir tarihçilik ve hukukçuluk yöntemini bilir, bunu dener ve oldukça da yol alır. Kendisinden çok sonra gelen Elmalılı Hamdi gibi bir ilahiyatçımız bu şekilde Batı dilini öğrenir, Batı tipi bir felsefî yöntemi takip etmeye kalkar ve Kur'an tefsirinde dirayet tefsiri dediğimiz çok etkili yöntemi geliştirir. Medreseli dediğimiz adam da tek tip değildir, XIX. yüzyılın bazı modern medreseleri vardır ki, astronomi ve Fransızca gibi dersler verirler. Ancak bazıları da Ortaçağ yöntemlerinden, hatta daha da gerisinden kurtulamamıştır. Mesela II. Mahmut devrinde hukuk mektebi kurmuşuz, ama Batı Romanist hukuk ekolüne bir türlü adım atamamışızdır. Eğitim o kadar zayıf kalmıştır ki, bir asır sonra gelen Fuat Köprülü gibi bir Türk dâhisi bile, hukuk mektebinde hiçbir şey öğrenemeyeceğini anlayıp, haklı olarak, mektebi terk eder. Ama öbür taraftan eski medrese takımı "Artık bize hayat hakkı kalmaz" diyerek yeni bir teşkilat ortaya çıkarır. Ancak çok ilginçtir, ders programlarına baktığınızda, hukuk mektebinden daha Batılı oldukları görülmektedir; Romanist hukuk sisteminin esaslarını kavramaya, öğrenmeye çalışmaktadırlar. Ders saatleri medresedeki gibi değildir; daha düzenli ve programlıdır. Öyle bir şey ki, modern hukuk fakültelerimiz bile bu ders programını taklit etmiştir.

Osmanlı Batılılaşması hiç şüphesiz askerî olarak başlamıştır. Batılılaşma, felsefesi yapılarak başlamamış, süreç bir zaruretten doğmuştur. Avrupa'nın ortalarına kadar giden bu devlet, hayatta kalmak adına evvela askerî reformlara başvurmuş, arkasından bu modern orduyu besleyecek bir kaynak ihtiyacını hissetmiştir. Bu da sağlıklı ve ilmî bir malî sistemin gerekliliğini ortaya çıkarmıştır. Mesela XIX. yüzyılda da Sultan Abdülhamid dönemine kadar Osmanlı Devleti'nin henüz merkezî bütçesi yoktur. Bu yüzdendir ki reformlar sürekli yavaşlamış, idareye bile yansımıştır. Merkezî hükümet, taşradaki halkı ve ayanları vergileri toplamak babında işbirliğine çağırmıştır. Bu gelişmelerin ortasında iflas eden maliye ve kurulan Düyun-ı Umumiye neticesinde, maliye teşkilatı yeniden düzenlenmiştir.

Bütün bunlar, modern maliyemizi teşkilatlandıracak bilgileri Düyun-ı Umumiye'de [Osmanlı Borçlar İdaresi] edinen Mehmet Cavid Bey gibi bir seçkin maliyeciyi ortaya çıkarmıştır. İşe bakın: II. Mahmut memurların derecelerini tespit ediyor; orduda, mülkiyede, yani sivil idarede ve ilmiyede bunları birbirine eşitliyor. Fakat maliye henüz bunlara standart maaşlar vermeyi bilmiyor, çünkü maaş verecek durumda değil. Bu iş 100 sene sonrasına, yani II. Meşrutiyet'e kalıyor, Mehmet Cavid Bey Maliye Nazırı oluyor ve bu işi düzenliyor.

Batılılaşma sürecinde devletin ve toplumun içinde yeni gelişmeler oluyor. Arazilerin mülkiyetinin düzenlenmesi ihtiyacı doğuyor. Çünkü temel gelir noktası toprak. Bu, 1858, yani 1274 Hicri tarihli Arazi Kanunnamesi ile sağlanıyor. Kız evlada da erkek evlat gibi eşit pay veriliyor. İslam hukukunun bilinen hükmü burada istisna ediliyor. Ordudaki merkeziyetçilik, bir nevi sanayi merkantilizmini meydana getiriyor. Ordunun ihtiyacına yönelik dallarda sanayi inkişaf ediyor. Türkiye sanayiinin ve teknolojik bilgisinin esasını teşkil eden askerî fabrikalar; cam, porselen ve kumaş fabrikaları; deri gibi dallar, birtakım yerlerdeki baruthaneler bu sayede inkişaf ediyor.

Padişahından en küçük neferine kadar Osmanlı toplumundaki sanayi düşkünlüğü, kısmen bununla izah edilebilir. XVIII. yüzyıla kadar dünyanın en güzel yerlerinden biri olan Haliç'te hiç acımadan, kirlilik yaratan fabrikalar ve dökümhaneler kurulmuştur. Padişahların ve kızkardeşleri sultanların köşkleri, yalıları bile bunun için yıkılmıştır. Bu ne demektir? Demek ki bir sanayi ihtirası vardır. Bu bir şeye işaret eder: Türkiye Batılılaşma konusunda, bir ideolojik seçimden çok bir zarureti takip etmiştir. Nitekim Batılılaşma literatürümüz, tatbikatın çok gerisinde gitmektedir. Batılılaşmanın teorisi pratikten sonra gelir. Bu çok önemli bir konudur.

XIX. yüzyıl sanayi ve ekonomisinin en önemli zaaf noktalarından biri, tarıma yönelik olmamasıdır. Avusturya ve Rusya'da fabrikacılık, ilk önce şeker sanayii ve değirmenler gibi doğrudan doğruya ziraî mahsulatı değerlendirmeye ve pazara sevk etmeye yönelikken, Osmanlı Türkiyesi'nde ziraî üretimle sınaî üretim ve planlama at başı gitmemektedir. Hiç XIX. yüzyıldan kalma şeker fabrikası duyduk mu? Ama XIX. yüzyıldan kalma bir şekerlememiz var: Hacı Bekir... Büyük şeker fabrikaları kurulması XX. yüzyılın mesaisidir. Yine o yıllarda çimento sanayiinin kurulduğunu duyduk mu? Hayır, o da XX. yüzyılda mümkün olur. Bu kadar ihtiyaç duyulan malları dışarıdan getiriyoruz, peki niçin buna kendimiz yönelmiyoruz? XIX. yüzyılda özel sektörün elinde alkol üreticiliği gibi bazı imalathaneler vardır. Ziraata dönüklük bundan ibarettir. Çiftçi doğrudan doğruya, Batı sanayiinin ve pazarlarının ihtiyacına göre üretime geçmektedir.

Evet, Türkiye'nin XIX. yüzyıldaki Batılılaşması; Rusya'da olduğu gibi, kavgası yapılmamış, teorisi ve ideolojisi kurulmamış bir harekettir. Doğrudan doğruya, hayatın zaruretleri istikametinde ortaya çıkmıştır. İş ne zaman ki gündelik yaşamımızı düzenlemeye gelmiştir, işte o vakit dananın kuyruğu kopmuştur. Batıcısı, İslamcısı ve milliyetçisi, bir kör dövüşün içinde birbirlerine girmiştir. Bu da, Türk Batılılaşmasının kendine has tarafıdır.

OSMANLI BATILILAŞMASINDA
YERLİ VE YABANCI KADROLAR

Batılılaşma dediğimiz süreç, yeni insan tipine ve kadrolara gereksinim duyar; bu kaçınılmazdır. Osmanlı İmparatorluğu askerî bir imparatorluk ve askerî bir toplumdur. Ama bu, onun sivil yönetim ve mülkiyede belirli bir hiyerarşi içinde yeni insanlar yetiştirmeyi bilmediği anlamına gelmez.

Osmanlı'nın klasik yönetim şeması askerî bir hiyerarşiye sahiptir. Beylerbeyi, vilayetlerin başıdır. Merkezde ve sarayda birtakım görevler yine böyle askerî bir hiyerarşi içindedir. Fakat aynı zamanda sadaretin, defterdarlığın, hatta askerî kurumların içinde medreseden gelme insanlar bulunmaktadır. Unutmayalım, bu çok enteresan bir yapıdır. 12-13 yaşlarında mahalle mektebinde okuma ve yazmayı söken bir çocuk, doğrudan kaleme çırak olabilmektedir. Böylelikle zeki çocukların, çok genç yaşta devlet memuru olarak yetiştirilmesine başlanmaktadır. Çoğu zaman bu çocuklar fakir bir ailenin içinden gelirler ve tahsillerine ancak bu sayede devam edebilmektedirler.

Örnek mi? Çok! İşte Osmanlı İmparatorluğu'nun güçlü sadrazamı! Sadece devletimizi değil, Avrupa devletlerinin siyasilerini de etkileyen Mehmet Emin Ali Paşa... Bu güçlü sadrazam Fransızcayı, ne Paris'te Sorbonne'da, ne Viyana'da, ne de Londra'da öğrenmiştir. Bu dili Bab-ı Âli kalemlerinde, çok küçük yaştan itibaren kendi başına öğrenmiştir. Kaleme aldığı layihalar ortadadır. Mükemmel bir Fransızcası vardır. Devrin edibi La Martine, *"Fransa'da okuduğu için Fransızcası benimki kadar düzgündür"* diyor. Heyhat, Mehmet Emin Ali Paşa Fransa'yı ancak Hariciye Nazırı olarak görmüştür. Başka örnek mi? Basın tarihimizin kralı Ahmet Mithat Efendi... Beriki nasıl Mısır Çarşısı'nın fakir kapıcısının oğluysa, Ahmet Mithat Efendi de bu çarşıda çıraktı. Elinden ilk tutan adamlardan biri ünlü valimiz Mithat Paşa'ydı. Onunla Tuna'da ve Bağdat'ta kalemde gezindi. Sonunda ortaya basın tarihimizin en ilginç simalarından biri çıktı. Kalemden yetişen âlimler vardır. Örnek mi istiyoruz? İşte XVII. yüzyılın ünlü mütebahhiri, beynelmilel dâhimiz Kâtip Çelebi... Avrupalıların Hacı Halife diye bildikleri Kâtip Çelebi'nin coğrafya ve nebatat konularındaki malumatı sonsuzdur. Medresede okumuş olsa da kalemde yetişen dâhilerdendir. Örnekler saymakla bitmez.

XIX. Yüzyılda Okullaşma

Bu toplum, Batılılaşma sürecinde *"kendi adamını kendin yetiştir"* fehvasınca kadrolarını üretmiştir. Hiç şüphesiz ki, bir mektepleşme de başlamıştır; malî, hukukî ve idarî alanda mektepler açılmıştır. Bu reel durum, Fransızcayı, Fransız siyasî ilimlerini ve edebiyatını öğrenmeyi gerektirmiştir, insanlar bu nedenle çocuklarını yeni kurulan misyoner mekteplerine yollamışlardır. Buna yalnız Müslümanlar değil; ilginçtir, Ermeni Kilisesi, Rum-Ortodoks Kilisesi, hatta imparatorluğun Yahudi cemaati ve reisleri de karşı çıkmışlardır. Ancak bu karşı çıkışlar çok şeyi değiştirmemiştir, çünkü bir şeyler yapmak gerekmektedir.

Nitekim 1860'ta Tanzimat'ın zeki ve akil adamları Mekteb-i Sultani'yi, bugünkü Galatasaray Lisesi'ni kurdular. Böylelikle Fransızca eğitimin en iyisine, Türkçe de ihmal edilmeden devam edildi. Bu durum, Batılılaşan devletler ve bugün üçüncü dünya dediğimiz o geniş dünya için özgün bir örnektir. Kendi okulunu açma teşebbüsleri, bir kültür emperyalizmi olarak tarif ettiğimiz yabancı okullara karşı, bu asrın icatlarını kavrayan yerli bir okullaşma çabasıdır. Zamanla açılan okullar çeşitlenir. Mesela eğitim alanındaki Darü'l Muallimat... İmparatorluğun yeni kadrolarını oluşturacaklar arasında kadınların da olması zarurî görülmüş ve kız okullarına öğretmen yetiştirmek üzere Darü'l Muallimat kurulmuştur.

İşin ilginç tarafı şuradadır: XIX. yüzyılın başında, medreseye karşı Batı eğitimini ve Batı tarzında bilimsel düşünceyi geliştirmeyi öneren kişi, bir ulema aileden gelme, medreseden yetişme bir simadır: Tabib ve tarihçi Şanizade Ataullah! Ahmet Cevdet Paşa gibi, tahsilini Osmanlı medreselerinde tamamlayan biri de yine bu kadrolardandır.

Osmanlı Batılılaşması'nda Yabancı Kadrolar

Yukarıda bahsettiklerimiz Osmanlı Batılılaşmasını yürüten özgün misallerdir, bu çok tipik bir yapıdır. Hiç şüphesiz, Osmanlı Batılılaşmasında yer alacak kadroların bir kısmı da yurtdışından gelmiş, bu kaçınılmaz olmuştur. Daha II. Mahmut devrinde, sonradan Prusya Genelkurmay Başkanı olan Mareşal Moltke, genç bir teğmen olarak Osmanlı ordusuna gelmiştir. XVIII. yüzyılda Baron de Tott'la karşılaşıyoruz. Baron de Tott, yani Humbaracı Ahmet Paşa, sonradan Müslüman olmuş, Avrupalı bir aristokrattır.

Ancak dışarıdan adam gelme/getirme durumu bir ara çok ilginç bir şekilde kesintiye uğrar. Zira 1848 ayaklanması, Osmanlı İmparatorluğu'ndaki yabancı kadrolar için önemli bir kilometre taşı olur. 1848 yılında Polonyalılar ve Macarlar, Avusturya İmparatorluğu'na ve Rusya'ya karşı ayaklanırlar. Kossuth Layoş'un önderliğinde Macar Cumhuriyeti kurulur. Macarlara yardım eden Polonyalı taburların başında General Jozef Bem vardır. Avusturya ve Rusya'nın ortak müdahalesiyle bunlar yenilirler. Polonyalılar ve Macarlar kurtuluşu Osmanlı İmparatorluğu'na iltica etmekte bulurlar. Osmanlı İmparatorluğu baskılara rağmen bu askerî mülteci alaylarını geri göndermez. "Bunlar mülteci değil, isyankâr ordulardır" denilmesine rağmen Osmanlı, kendisine sığınan bu insanları korur.

İşte bu mültecilerden bir kısmı Müslüman olmuş, bir kısmı kendi dinlerinde kalmış, ama hepsi Osmanlı toplumuna intibak etmişlerdir. Mesela General Bem, Murat Paşa olmuştur. Generallerden Kosiyevsky, Sefer Paşa adını almıştır. Çok önemli albaylardan biri olan Konstantin Borzecky, Mustafa Celaleddin ismini almıştır, ki Nazım Hikmet'in dedesi olan bu zat, sonradan general, yani paşa rütbesiyle Karadağ muharebesinde şehit düşmüştür.

Macar ve Polonyalı olan bu insanlar, haritacılıktan topçuluğa, kimyagerlikten ressamlığa kadar Osmanlı cemiyetinin ihtiyacı olan kadroları meydana getirmişlerdir. Bu, Osmanlı için bir talih olmuştur. Çünkü gelenler ne maceraperestti, ne de para kazanmak için buraya gelmiş insanlardı. Doğrudan doğruya yeni bir vatan, yeni bir toplum ihtiyacı içindeydiler. Dolayısıyla buldukları yeni vatana hizmet etmişlerdir. Adı sonradan Sadık Rıfat

Paşa olmuş General Çaykovsky'nin Kırım Savaşı'nda gösterdiği hizmet ortadadır.

İltica etmiş bu insanlar, Osmanlı cemiyetinde yeni bir sınıfın ve yaşam tarzının gelişmesine de ön ayak olmuşlardır. Şair Nigar Hanım, Macar Süleyman Paşa'nın kızıdır. Kadınlı-erkekli salon geleneğini geliştirmiştir. Kendisi büyük şair olmasa da, birtakım şairleri, yerli-yabancı edipleri bir araya getirmiştir. Ignacz Kunoş gibi bir Macar Türkolog bile, Nigar Hanım'ın bu yöndeki rolünü ortaya koymaktadır. Medreseden gelme Ahmet Cevdet Paşa'nın kızları -en başta Fatma Aliye Hanım- tıpkı Nigar Hanım gibi edebî ve ilmî faaliyetlerin içinde olmuşlardır.

Cemiyette derinden hissedilen bu dönüşümün sancıları da olmamış değildir elbette. Zaman zaman ortaya çıkan aşırılıklar, muhafazakâr çevrelerin tepkisini çekmiştir. Bu dönemde bir terim telaffuz edilir: Garbzede... Felaketzede, depremzede der gibi... Çünkü Batılılaşmanın cemiyete yansıyan görüntülerinde aşırılıklar göze batıyor. Garip Batılı tipler ve hayatlar ortaya çıkıyor, Felatun Beyler gibi...

Hiç şüphesiz ki, Osmanlı Batılılaşmasında çok farklı düşünceler ortaya atılmıştır. En pozitivist ve Batıcı gördüğünüz kişide bile, bazı hallerde İslam toplumunun müesseselerine sarılma gözlenir. Abdullah Cevdet böyledir, Ahmet Vefik Paşa böyledir. Şemseddin Sami'de bile bu anlayışı görmek mümkündür. Mesela Ahmet Vefik Paşa, Fransa'da okumuştur, Divan-ı Hümayun tercümanı bir ailenin çocuğudur. Yunancayı eskisi ve yenisiyle bilmektedir, Fransızcası mükemmeldir, Farsçası ve Arapçası da iyidir; ama çelişkiden kurtulamayan, zaman zaman Doğucu, zaman zaman da Batıcı olan, hayatımızın modernleşmesinde keskin sloganlara sahip bir edibimiz, bir fikir adamımızdır.

XIX. yüzyılın Türkiyesi, aslında -pragmatik yapısı dolayısıyla-Batı medeniyetini ve kültürünü kavramak konusunda az kavga etmiştir. XIX. yüzyıl İranı'nın veya XIX. yüzyıl Rusyası'nın literatürüne bakarsak, Batılılaşma konusunu daha az sancıyla atlattığımızı göreceğiz. Dedelerimizin tevazuu bir ölçüde zedelenmiş olsa bile, yine de mütevazı bir hayat yaşamışız. Osmanlı başkentinde Kahire ve İskenderiye'deki lüks bile görülmemektedir. Mesela hiçbir sadrazamımızın ve bahriye nazırımızın bugüne kalmış konağı yoktur. Kayserili Ahmet Paşa'nın Süleymaniye'deki mütevazı konağı buna örnektir. Talat Paşa Nişantaşı'ndaki sadaret konağına pahalı diye çıkmamış ve Cağaloğlu'nda kiralık konakta oturmuştur. Mısırlı Sait Halim Paşa, Mısır'dan gelen zenginliğiyle, bildiğimiz konaklara sahiptir. Genelde Osmanlı üst sınıfı XIX. ve XX. asırda bile sınırlı hayat sürmüştür. Buna karşılık, Mısırlı Hıdiv hanedanından gelen paşaların ve prenseslerin konak ve sarayları, İstanbul'un en göze batan binalarından sayılabilir.

Batılılaşma bir anlamda da bir edebiyat zevkidir. Batılılaşma ile birlikte Batı romanı ve tiyatrosu da Türkiye'ye girmiştir. Ama sanki bu kerhen olmuştur. Osmanlı, eski edebî zevkini terk etmemiş, Türk halkı eski edebiyat türüne ilgi göstermeye devam etmiştir. Eski edebiyata ve ananeye sadakat, son derece yüksek bir biçimde muhafaza edilmiştir.

OSMANLI ÜZERİNDE ALMAN ETKİSİ

Osmanlı İmparatorluğu'ndaki Alman nüfuzunun etkisini üç aşamada ele alabiliriz. Birisi II. Mahmut devrinde gelen Helmuth von Moltke'nin dönemi... Burada Prusya krallığının bir askerî müdahalesi, bir yardımı söz konusudur. Moltke, Kütahya ve Nizip'te savaşları izlemiş; reform geçiren, dağılan ve yeniden kurulan Osmanlı ordusunun, Mısırlı Mehmet Ali Paşa'nın oğlu İbrahim Paşa kuvvetleri karşısındaki durumunu ele almıştır. Fakat daha da önemlisi, imparatorluğun coğrafyasını Mezopotamya'dan İstanbul'a kadar tarif etmiş olmasıdır. Yazdıkları bir dönemi oldukça doğru aksettirmektedir ve merhum Hayrullah Örs'ün nefis tercümesinden okunmalıdır.

İkinci isim, von der Goltz'dur. Her ne kadar kendi yurdunda, Prusya Genelkurmayı'nda sevilmese de çok yetenekli bir askerî uzmandır. Türkiye'de iken yazdığı askerî eğitim kitapları, 4000 sayfayı aşar. Genç subaylar üzerinde etkisi olan, sevilen biridir. Berlin Kongresi'nden sonraki yükselme döneminde, Osmanlı ordusundaki eğitimde ve Almanya'dan silah alımında etkisi olmuştur. II. Meşrutiyet'ten sonra, Sadrazam ve Harbiye Nazırı Mahmut Şevket Paşa, Goltz Paşa'yı tekrar getirtmiştir. Birinci

Cihan Harbi'nde Şark-Arabistan ordularına müşavir olarak atanan Goltz Paşa, burada hastalanarak ölmüş, Tarabya'daki yazlık Alman Sefareti'nin bahçesine gömülmüştür.

Üçüncü isim, II. Meşrutiyet devrinin ünlü ve kuvvetli Alman sefiri Baron von Wangenheim'dır. Alman kapitülasyonlarının iptaline karşı çıkan, tarihimizin hakikaten yetenekli Maliye Nazırı Cavit Bey'in karşısına çıkıp protestosunu bildirmekten çekinmeyen biridir bu. İstanbul'da öldüğünde, o da muazzam bir cenaze töreniyle Tarabya'daki yazlık sefaret bahçesine gömülür.

Tarabya'daki bu sefaret bahçesiyle Moltke'nin heykeli birlikte düşünüldüğünde, Osmanlı İmparatorluğu üzerinde Almanya'nın tarihî seyri okunabilir. Taksim'e doğru tırmanırken görülen, Beyoğlu'ndaki Venedik Sarayı'dır. Bu saray, Fossati'nin yaptığı Rusya Elçilik Sarayı ve Hollanda Elçilik Sarayı gibi sevimli yapılarla pek mukayese edilemez. Alman sefaret binası geç kurulmuş olmalı ki saray, Beyoğlu'nda cadde üzerinde kendisine yer bulamamış, bu uzak semtte kurulmuştur.

Almanya, Sultan Abdülhamid döneminin gözde müttefikiydi. İki ülke arasındaki askerî işbirliği, daha çok dış dünyaya karşı bir gösterişti. Gelen danışmanlar pek başarılı olmadılar. Muhtemelen Sultan Abdülhamid, onların etkili olmasını da pek istemiyordu. Bunun için enteresan bir düzen kurmuştu. Plevne kahramanı Gazi Osman Paşa, bu konuda padişahın yardımcısıydı. Gelen müşavirlerin arasında zaman zaman çatışma yaşanırdı. Mesela von Kamphoevener, yüzbaşı olarak gelir ve müşirliğe kadar çıkar. Bu ani terfiler, bazılarının zannettiği gibi, bir görgüsüzlük müydü, Almanların kendi yanlarında olduğunu dış dünyaya göstermek için uygulanan bir yöntem miydi? Yoksa bu usul, gelen müşavirlerin arasında bir ihtilaf yaratarak, onların etkili olmasını önlemek için miydi? İşte bu, II. Abdülhamid dönemi politikasının ilginç yanıdır.

Şüphesiz ki II. Meşrutiyet'te ordunun modernleşmesi tamamen Alman talimnamelerine ve sistemine dayanılarak yapılmıştır. Bu hızlı modernleşme, I. Dünya Harbi'ne girişimizde Alman tarafına yanaşmamızı kolaylaştırmıştır.

Demiryolu Projesi

Osmanlı İmparatorluğu'nda Almanya demek, Anadolu'dan Mezopotamya'ya kadar uzanan demiryolu demektir. Bu demiryolu, teknik bakımdan İngiliz ve Fransız hatlarından daha mükemmel görünse de yine de çağın gerisindeydi. İşte görülüyor; Türkiye'de ulaşım ve ticaret daha çok karayolu üzerinden gerçekleşiyor. Çünkü demiryollarımız daha başından yanlış ve eksik kurulmuş, ıslahı ve yeniden yapılanması da son derece pahalı tesislerdir. Bu, Osmanlı İmparatorluğu'nda görülen umumi bir zafiyettir.

Bizden ayrılan ülkelerde de aynı şey görülüyor. Mesela Yunanistan, Avrupa Birliği'nin uyarılarına ve ısrarlarına rağmen demiryolu alt yapısını tamamlayamayan bir ülkedir. Güneyimize gidelim; Suriye, Irak, Lübnan, Ürdün ve şaşılacak şey, bu konularda çok daha uyanık olması beklenen İsrail... Hiçbiri sağlam bir demiryolu alt yapısına sahip değildir; demiryollarını yenileyemiyor ve geliştiremiyorlar. Bu sayılan yerlerde her şey kara taşımacılığıyla devam ediyor.

Bağdat demiryolu ilk etapta Ankara'ya, Konya ovalarına, oradan Adana'ya kadar indi. Gerçi bu yine de büyük bir reformdu. Bu sayede Osmanlı İmparatorluğu Anadolu buğdayıyla geçinmeye başladı. Daha önceleri buğday Dobruca'dan, Romanya'dan ve Odessa üzerinden Rusya'dan geliyordu. Türk–Yunan savaşında ordumuz ilk defa Anadolu buğdayıyla beslenebildi. Kurulan bu demiryolu hattının çevresine de Rumeli göçmenleri yerleştirildi. Böylelikle bu hat boyunca tarım gelişti. Ziraî tekniklerle Eskişehir–Konya arası zenginleşmeye, Anadolu'da ziraî bir zenginlik doğmaya başladı.

Osmanlı Kültür Hayatında Alman Etkisi Zayıf Kaldı

Almanya, donanmada başarılı olamadı. Jandarmamızın ıslahı Fransızların elindeydi. Almanya Osmanlı İmparatorluğu'na, kültürü ve diliyle de giremedi. Orduda subaylar, talimi bile Fransızcayla yapıyorlardı. Osmanlı aydını, Alman filozoflarını tercümeler üzerinden tanıyabildi. Almanca, öğrenilen bir dil olmadı, Beyoğlu ile sınırlı kaldı. Musiki çevrelerinde Alman etkisinden bahsedilebilir, ama mesela tıp konusunda aynı şeyi söyleyemeyiz. Ne gariptir ki bu memlekete Alman bilimini, felsefesini ve dilini, Hitler'in kovaladığı sosyal demokrat Yahudi Alman aydınları getirdiler. Bu aydınlar, kendilerine kucak açan ülkenin üniversitelerinde yararlı ve öncü etkinliklerde bulundular. İstanbul Üniversitesi ve sonradan kurulacak olan Ankara Üniversitesi'nde yetiştirdikleri uzman kuşaklarla bu ülkede Almanya etkisi hissedildi.

Beyoğlu bu insanları hiçbir zaman unutmayacaktır. Apartman hayatı İstanbul'da Galata'da, Beyoğlu'nda yaygındı. Ama gayrimüslimlerin, yabancıların ve Müslümanların üst sınıflarının karışması asıl Gümüşsuyu, Teşvikiye, Nişantaşı bölgesindeki apartmanlarda olmuştur. XIX. yüzyılın küçük sefarethaneleri buradadır. Büyükelçiliklerden değil, ortaelçiliklerden söz ediyoruz. Romanya, Yunanistan elçilik binaları burada yer alır. Bizantino Morik, yahut Bizans-Osmanlı denen üslûbdaki Aya Triada Kilisesi buradadır. 19. yüzyıl Bizans-Osmanlı üslubundaki kiliselerin en göze çarpan örneklerindendir. Kilisenin etrafı vakıf, dükkân ve binalarla doludur. Eski İstanbul'un ünlü eğitim kurumlarından Zapyon (Zappeon) Rum Kız Lisesi de bu tarafta yer alır. Zapyon'un karşısında Esayan Ermeni Okulu vardır. Birincisi kadar olmasa da, azalan öğrencisiyle o da İstanbul'da eğitim hayatına devam eden eski kurumlardan biridir.

Lozan Anlaşması'yla teminat altına alınan azınlık okulları, maalesef talebe ve öğretmenlerin azaldığı yerlerdir. Bunların kültür hayatımızda yeniden daha etkili ve yararlı kurumlar olması için çalışılması gerekiyor.

Geçen yüzyılda ve bu yüzyılın başında Sıraselviler-Cihangir, İstanbul'daki üst tabaka yabancıların ve çok az sayıdaki Müslüman Türk'ün yaşadığı bir yerdi. Bugün ise alt yapısı itibarıyla makbul, pahalı ve kozmopolit bir entelektüel semt haline dönüştü. İtalyan mimar ve kalfaların ve onların yetiştirdikleri Rum ustaların ellerinden çıkan apartmanlarla bezeli bu semtte İstanbul'un kozmopolit yapısı halen devam ediyor.

XIX. YÜZYILIN SON ÇEYREĞİNDE İNGİLTERE-FRANSA-ALMANYA REKABETİ

XIX. yüzyılın son çeyreğinde Avrupa'da savaş rüzgârları esmeye başlamıştır. Büyük devletlerin arasında karşılıklı ziyaretler, ittifak antlaşmaları yapılmaktadır. Çar III. Alexander, Paris'i ziyaret eder, hatta Seine nehri üzerindeki bir köprüye onun adı verilir. Fransa ve Rusya'nın birbirlerine yaklaşması, Almanya ve Rusya arasındaki yakınlaşmanın gerçekleşmemesindendir.

Aslında Rusya'da sanayici, modern çiftçi ve maliyeci çevreler, Almanya'ya sempati duyarlar. Bu, Almanya'nın eğitimdeki etkisi ve Büyük Katerina'dan beri Rusya topraklarına yerleştirilen Süvebyalı Alman çiftçilerin yarattığı ziraî modernleşme sebebiyledir. Ünlü çiftçilerin hepsi çocuklarını Alman Gymnasium'una gönderir. Bu çevrelerde Almanca, konuşulan bir dildir. Alman-Rus yakınlaşması, Rusya'da; '*Alman teknolojisi gelişecek, hammadde zenginliklerimiz oraya akacak, karşılığında Rusya zenginleşecek, teknik güç elde edilecek, sanayi gelişecek, işçi sınıfı güçlenecek, köylülük gittikçe zayıflayacak*' gibi bir sevinç yaratmıştır.

Ancak Almanya ile Avusturya'nın yakınlaşmaya başlamasıyla, Silezia olayından ve Prusya-Avusturya Savaşı'ndan sonra ortaya

179

çıkan Rusya-Almanya gerilimi Rusya'yı Fransa blokuna itmiştir. İngiltere de Fransa'nın müttefiki olarak kıtadaki büyük devletlerin karşısında yer almıştır.

Böyle bir ortamda, bilhassa Osmanlı-Rus Savaşı'ndan sonra, II. Abdülhamid yönetimi, barışçı politika güder, ama ordunun Almanya tarafından eğitilmesine önem verir. II. Abdülhamid, Almanya'yı yanında göstermekten istifade etmektedir. 1877–78 Osmanlı-Rus Savaşı ve Berlin Kongresi'nden sonra Osmanlı İmparatorluğu, -özellikle oralardaki liberaller anti-Türk bir politika güttüklerinden- İngiltere ve Fransa'ya sığınamayacağı için ister istemez Almanya'ya yanaşır.

Şu tarihî hakikate işaret edelim: II. Abdülhamid'in Alman taraftarlığı ve dostluğu, Jön Türklerle ve kendisinden sonraki İttihatçılarla mukayese edilmeyecek kadar sathîdir. II. Abdülhamid aslında Alman eğitmenlerin ve müşavirlerin orduda gerçek anlamda hâkim olmalarına pek taraftar değildir. Alman silahlarını almayı, daha ziyade, İngiliz ve Amerikan silahlarına karşı bir rekabet unsuru olarak düşünmekte; Almanları yanına çekip Batı blokuna ve Rusya'ya karşı kullanmayı düşlemektedir. Bir yandan da, Rusya ile Osmanlı İmparatorluğu arasında gizli bir barış söz konusudur. III. Alexander otokrat biridir ama barışın Rusya için gerekli olduğunu anlamış; Osmanlı İmparatorluğu ile çatışmanın Rusya'ya pek kâr getirmediğini, savaşın kendilerine çok pahalıya mal olduğunu görmüştür. Oysa Rusya'ya sanayileşme ve okul lazımdır. Aynı şeyler, II. Abdülhamid için de doğrudur. Osmanlı İmparatorluğu'na yol, fabrika inşası, ziraatın geliştirilmesi ve okullaşma lazımdır ona göre de.

Şimdi büyük devletlerin iç durumuna bakalım: İngiltere -bilhassa Boer Savaşı'ndan sonra- Afrika'nın güneyini ve bu kıtanın en verimli bölgelerini kontrol altında tutmaktadır. Bunun üstüne bir de Avustralya'yı elde tuttuğunu hatırlayalım. Çin üzerinden büyük devletlerle sağlanacak anlaşmanın önemi buradan anlaşılır. Bugünkü Pakistan, Bangladeş ve Hindistan'ı içeren büyük kıta, yani o zamanki Hindistan, yeryüzünün en kalabalık ve en verimli ülkesi, Britanya tacının en önemli parçasıdır. Mesela Victoria, Hindistan İmparatoriçesi olarak taç giymiştir. Hindistan, kuru bir sömürge olmanın ötesinde, kara talihine rağmen, İngiltere'yi çok etkilemiştir. O kıtanın eski kültürü, egemen sınıflarının ve okumuşlarının tavrı, İngilizlere derinden tesir etmiştir. Hindistan'ın yetişmiş insanları da İngiliz İmparatorluğu'nun kültürel kaynağından faydalanmakta gecikmemişlerdir. Bugünkü Hindistan'ın oluşumunda böyle bir istifade yatmaktadır.

Unutmamak gerekir ki, bu kıtanın insafsızca sömürülmesi İngiliz İmparatorluğu'nun işine gelir. Britanya sömürgeleri saymakla bitmez. Antiller, Okyanusya'daki takımadalar... Bu üzerinde güneş batmayan büyük imparatorluğun, İngiliz halkının refahına gerektiği şekilde yansıdığını söylemekse zordur. XIX. asrın ortasında Victoria'nın kıymetli Başbakanı Benjamin Disraeli'nin deyişiyle; *'Kraliçe Victoria, iki milletin başındadır. Fakirlerin ve zenginlerin...'*

İngiltere'nin asıl başarısı; Disraeli'nin, bir Fransız projesi olan Süveyş Kanalı'nı ani ve akıllıca bir iktisadî kararla ele geçirmesidir. (Bazıları, Süveyş'te Osmanlı İmparatorluğu'nun elendiğini söylüyorlar. Oysa biz baştan itibaren o projenin içinde değildik. Burada asıl kaybeden, o projeyi tahakkuk ettiren Fransız mühendisliği ve Fransa'dır.) Evet, İngiltere Süveyş Kanalı'nı eline geçirmekle denizlerin kontrolünü elinde tutmuştur. Berlin Kongresi'nden sonra, en önemli Akdeniz üssü olan Kıbrıs'ı da kontrol altına aldığını düşünürsek, İngiltere'nin nasıl güçlendiğini anlarız. Zira Mısır, Afrika'nın en verimli bölgesidir. Neticede Hint İmparatorluğu ve Britanya, XIX. yüzyılın son çeyreğinde artık bir cihan devleti olarak kabul ediliyor. Britanya bu adlandırmayı Napoleon Savaşları'nda elde etmiştir ve sürdürmektedir. Mısır'ı, Hind'i ve Okyanus kolonilerinin yolunu; Süveyş Kanalı'nı ve Akdeniz'deki Cebelitarık, Malta ve Kıbrıs'ı elde tutarak kontrol ediyor.

Fransa ise ancak İngiltere'nin pek tenezzül etmediği sömürgelerin üzerindedir. Buna rağmen Fransa XIX. yüzyılın son çeyreğinde, parlak bir ülkedir. Yirminci yüzyılda, yeni konmuş Nobel ödüllerini büyük ölçüde Fransızlar alırlar. Mısırlı el Tahtavi'nin raporlarında belirttiği gibi, Fransa bilimlerin, bilhassa tıbbın babasıdır. Tıp bilimi ve hasta bakımı, hiçbir yerde Fransa'daki kadar mükemmel değildir. Fransa, XIX. yüzyılın son çeyreğinde; kendine has fakirliği ve ataletiyle birlikte, zenginliği, zarafeti ve zirveye ulaşmış üniversal kültürüyle Kıta Avrupası'nın en gözde ülkesidir. Belki İngilizce ve İspanyolca kadar yaygın değildir ama Fransızca okumak ve konuşmak, entelektüellerin ve diplomatların ortak noktasıdır.

İngiltere ile Fransa arasında temel farklar vardır. İngiltere, öncü bir sanayi devletidir. XIX. yüzyılın sonunda Britanya Kıtası'nda birbiri ardından milyonluk şehirler çıkmaktadır. Londra, Manchester, Birmingham, York gibi sanayi merkezleri birbirini izlemektedir. Britanya'nın kırsal kesimleri gittikçe nüfus kaybeder, dolayısıyla köylü nüfusun oranı %15'lere kadar düşer. Oysa Fransa, II. Cihan Harbi'ne girdiği sırada bile, %50'si köylü olan bir ülkeydi. Köylülerin yaşadığı ağır şartlar, Paris'in ışıltısı ve parlaklığıyla büyük bir tezat teşkil etmekteydi.

Alman İmparatorluğu, Versailles'dan sonra, hızlı bir şekilde sanayileşmekteydi. Daha evvel Prusya Krallığı, demiryolu ve kanallar ağıyla Almanya'yı Baltık'a ve Akdeniz'e bağlamaya muvaffak olmuştu. Şurası açıktır ki Almanya, Avusturya'yı Königsgraetz'da yenmiştir ve Silezia'yı almakla, iktisadî bakımdan Avusturya'yı geçmiştir. Bir yerde Avusturya da demiryolları açısından ve iktisadî bakımdan Almanya ile bütünleşmeye başlamaktadır. Bu durum 20. yüzyıla kadar devam edecektir. Bugün Almanya ve Avusturya iki ayrı devlet olmakla birlikte aslında iktisadî ve kültürel bir bütünlüktür.

Daha önemlisi Almanya, Prusya'nın tarihteki rolünü devam ettirmektedir. Rusya'nın Batı eyaletlerine; Polonya'daki Lodz şehri gibi dokuma merkezlerine, Macaristan'a, hatta Romanya'ya, Romanya'da yeni doğan petrol endüstrisine, tekstile ve dokumacılığa el atmaktadır. Alman kültürü, Balkanlar'ı istila etmiştir. Buralarda lingua franca olarak Fransızcadan çok Almancanın konuşulduğu gerçektir. Dahası, İngiliz bankacılığını yenen Alman bankacılığı teşekkül etmektedir. Bu çok aktif bir bankacılıktır. Sadece kredi vererek yaşamaz, icabında çürük ve cılız sanayi dallarını destekler, ortak olur, yeni yatırımları teşvik eder.

Doğu Avrupa'ya, hatta Osmanlı İmparatorluğu üzerinden Mezopotamya'ya yayılan Alman nüfuzu, kendisini "dört D"ye muhtaç hissetmektedir: Deutsche Bank, Dresdner Bank, Darmstaedter Bank ve Deutsche Bahn ile buralarda kendisini sağlam hissetmektedir. Bu bankalar o kadar iyi bilgi devşirmektedir ki batık sermayeyi, tahsil edilemez alacakları ile birlikte toplayabilmektedirler. Bu ilginç bir gelişmedir.

Alman demiryolu, teknikleri bakımından da üstündür. İngilizler Orta Doğu ve Osmanlı İmparatorluğu'nda bu konuda yarışı bırakmışlardır. Fransız demiryolculuğu da ipin ucunu bırakmamıştır, ama üstünlük Almanlardadır. İstanbul'dan başlayan demiryolları Ankara'ya, Konya'ya, demiryolları görmemiş yerlere ulaşmakta, kısa bir zamanda Mezopotamya'ya dayanmaktadır. Öyle ki, I. Cihan Harbi'nin çıkışı biraz gecikseydi, Bağdat'a da ulaşabilecekti.

İşte burada İngiltere İmparatorluğu ile Almanya sıcak bir çatışmanın içine girmektedir. Orta Avrupa'yı çok etkileyen Avusturya-Macaristan'a gelince... Bilhassa 1860'taki ikiye ayrılmadan ve eşitlik kontratından sonra Macaristan bir ayrı hükümet ve parlamento, Avusturya İmparatorluğu ayrı bir hükümet ve parlamento şeklindedir. Müşterek olan, sadece İmparator François Joseph ve Habsburglar hanedanıdır. Ondan da Avusturyalılar, "Unser Kaiser", yani "İmparatorumuz" diye; Macarlarsa ısrarla "Krali, Kralina", yani "Kral ve Kraliçe" diye bahsederler. Macarlara göre o, İmparator değil, Macar Kralıdır.

Bürokraside memurlar birbirine girmiş durumdadır. Bütün eyaletler Avusturya ve Macaristan arasında bölüşülmüştür. Sadece 1878 Berlin'de işgal edilen, dikkat edin, henüz ilhak edilmeyen Bosna Hersek, iki tarafın ortak idaresi altındadır ve burada Macar ve Avusturya kökenli memurlar birbirleriyle gayet gerilimli ilişkiler içindedirler.

Bir yandan da sanayii, burjuvası ve entelektüelleriyle gelişen bir Çekya vardır. Bugünkü Çekya, yani Bohemya, o kadar büyük kalkınma göstermektedir ki Avusturyalılara adeta tepeden bakmaktadır. Böyle bir Çek burjuvazisi ortaya çıkmıştır. Diğer taht ülkeleri bu imparatorlukta yılda %1 ile 2 oranında gelişme gösterirken, Macaristan, tarihî tarımsal yapısını yıkıp yıllık kalkınma hızı %6'ya ulaşan bir gelişme göstermektedir. Şehirler o kadar büyük bir tekâmül içindedir ki binalar birbirini izlemektedir.

Avusturya ve Macaristan'da işçi sınıfının vaziyeti ise çok fecidir. Bunların çoğu sıhhî şartları son derece kötü binalarda yaşarlar. Ücretlerin düşüklüğünden dolayı huzursuzluk içindedirler. Yaşam standartları son derece düşüktür. Düşünün, Viyana gibi şehirlerde, I. Cihan Harbi'nden evvel, 8 nüfusa bir oda düşmekteydi. Bu oran, İngiltere ve Almanya'da ise 2 ya da 3'tür. Fakirlik, Orta Avrupa şehirlerinde derin bir problem haline gelmiştir.

Bu problemi yaşayan bir diğer büyük ülke de Rusya'dır. Ancak XIX. yüzyılın son 25 yılında büyük gelişme kaydetmektedir. Bu gelişme, diğerlerinden daha kırsal bir ülke olduğu gerçeğini örtemiyor. Unutmayalım; Rusya, %90'ı cahil, okuma ve yazma bilmeyen bir nüfusla Birinci Cihan Harbi'ne girmiştir. Ama ilginçtir, geriye kalan %10 gibi bir nüfusun içinden bütün bir yeryüzünü aydınlatan romancı, yazar, bilgin ve sanatçı sınıfını çıkarabilmiştir.

KATOLİK – ORTODOKS DÜNYASI

Yahudilik ve Müslümanlık, bir açıdan benzerdir. Bu temel bir benzerliktir; ikisinde de ruhban sınıfı yoktur. Bu olmadığı için de, bu dinlerde insanların ruhları üzerinde hükmeden bir ruhanî kurum şekillenmemiştir. İbrancadaki 'kinisa' sözcüğü, sadece bir topluluğu ifade eder. Bizdeki "cami" de -adı üzerinde- toplanmaya, toplanılan yere işarettir.

Kilise bir kurumdur. Bir ruhaniyeti ve ruhban sınıfı vardır; yeryüzünde Tanrı'nın vekili olduğu iddiasındadır. Hurucundan (ascension/göğe yükselme) evvel Hz. İsa'nın havarilerine, bilhassa St. Petrus'a *Kilise bundan sonra sana ait, sen Tanrı'nın yeryüzündeki kurumunu götüreceksin* dediği rivayet edilir. Bu ifade, Hıristiyanlık için temeldir. Hıristiyanlık bu bakımdan Tanrı'nın yeryüzündeki gölgesi olarak işlev görmüştür. Fakat zaman içinde ortaya çıkmıştır ki bu, kiliseler arasında çatışmaya sebep olmuştur.

Bilindiği gibi, IV. asırda toplanan bir İznik Konsili vardır. Bu konsili İmparator Konstantin toplamıştır. İlginçtir, Konstantin bu konsili toplantıya çağırdığında, kendisi henüz vaftiz edilmemişti, Hıristiyan değildi.

Konstantin himayesindeki Hıristiyanların sorunlarını çözmek için bu konsili topladı. Piskoposlukların belirlenmesi dışında, konsilde alınan en önemli kararlardan birisi, geçerli/doğru İncillerin tespitidir. Zira ortada çok sayıda İncil vardı. Bunlardan bazılarının yanlış ve sahte olduğu iddia ediliyordu. Kilise nihayette; Marcus, Lucas, Mattheus ve Yuhanna olmak üzere dört havarinin yazdığı/derlediği İncil'i kabul etti. Buna, St. Paul'ün Efeslilere, Corinthlilere, Atinalılara, Selaniklilere verdiği vaazlar ve gönderdiği mektuplar da eklendi. En nihayette, "Resuller İşleri" başlıklı, havarilerin ve birtakım azizlerin yaptıklarını anlatan bölümle "Yeni Ahid" meydana geldi. Bu Yeni Ahid Hıristiyanlığın esasıdır. Hıristiyanlık bundan böyle, Yahudilik gibi sadece bir kavme değil, bütün milletlere gönderilen bir mesajdır. St. Paul bunu böyle yorumlamış ve kilise bu esas üzerinde teşkilatlanmıştır. St. Paul'ün kurduğu hiyerarşi ve teşkilat Roma İmparatorluğu'nda önce gizlidir, zamanla yer yer ortaya çıkar, İmparator Konstantin zamanında kabul görür ve beşinci asırda İmparator Theodosius'tan itibaren topluma hükmeden bir kurum haline gelir.

İnsanların kurduğu her kurum, -velev ki ilahî işaret ve mesajla kurulmuş olsun- insanlara has temel bir durumdan uzak kalamaz: çatışma, çekişme, fikir ayrılığı ve giderek ayrışma... Hıristiyanlığın ilk asırlarında bu tip çekişmeler, 325 İznik Konsili, 431 Efes Konsili ve ardından 451 Kadıköy–Kalkedon Konsili'nde ortaya çıkmıştır. Efes'te Rahip İskenderiyeli Arius'un ileri sürdüğü fikirler ve yorumlar reddedilmiş olmakla birlikte bunlar bazı barbar kavimlerin arasında taraftar bulmuştur. Hıristiyanlık tarihinde organize bir Ariusçuluk devam etmemişse de, bunun muhtelif doktrin ve görüşleri etkilediği bir gerçektir. Efes Konsili'nde ise o sırada İstanbul Patriki olan Rahip Nasturius'un görüşleri aforoz edilmiştir. Ancak bu görüş de bugün Hakkâri taraflarında, İran'daki Hıristiyan göçebeler arasında ve Orta Asya üzerinden Çin sınırlarına, Moğolistan'a kadar yayılmıştır. Bu, İsa'nın uluhiyyetini sınırlayan bir görüştü.

Kadıköy Konsili'nde İsa'nın uluhiyyeti meselesinde çok ilginç bir tartışma çıkmıştır. Şu soru sorulmuştur: Acaba İsa efendimizle Tanrı aynı cevher midir? Aynı mıdır, yoksa baba ve oğul ayrılığı mı vardır? Süryani Kilisesi, Ermenistan Kilisesi ve Mısır'daki Kobtlar buna evet demişlerdir. Hayır diyenlerse mevcut Roma Kilisesi'dir. Bu iki grup, bu şekilde ayrışmıştır.

Ama bugünkü Hıristiyanlık açısından asıl ayrışma, Bizans İmparatorluğu'nun en şaşaalı zamanında gerçekleşmiştir. Roma'daki patrik –ki kendisine Papa denir- mevcut piskoposların içinde çoktan beri sıralamada bir numaradır. Doğudaki kiliseler ve piskoposlar da, Justinyanus'tan beri Roma'daki patriki

Fener'deki Büyük Lise

eşitler arasında birinci olarak görmektedir. Doğulular, Roma'daki Papa'nın bir nevi tanrısallık (ulûhiyyet) iddiasını kabul etmemişlerdir.

İkinci tartışma ise İncil'in Latinceye çevirisi sırasında çıkmıştır. "filioque" ibaresinin Latinceye, "baba ve oğul" şeklinde değil de, "oğulla baba" biçiminde çevrilmesi gibi ince bir ilahiyat meselesi yüzünden problem çıkmıştır.

Ekânim-i selâse (trinite veya triada) Baba, Oğul, Ruh'ül Kudüs'ü ifade eder. Katolik ve Ortodoks herkes için bu aynı şeydir. Fakat Ortodokslar için Oğul, Baba'nın uluhiyyetini alan bir parçasıdır. Katolik kilisesi ise Kutsal Ruh'un kaynağını "filioque" [ve oğuldan] ifadesi sebebiyle Baba ve Oğul'a nispetler. Bu terim yüzünden Katolikler Ortodokslarca Tanrı'ya ortak koşmak, Tanrı'yı ikiye eşitlemekle, küfürle suçlanırlar. Gerçi bu filioque'nin de sadece bir yanlış tercüme ile ortaya çıktığı söyleniyor. V. yüzyıldaki konsil kararlarının Yunancadan Latinceye yanlış tercümesi olmalıymış. Hülasa, kılı kırk yaran ve niteliği karanlık bu teolog kavgası iki kilisenin dogma ayrılığı gibi görünüyor. "filioque" sorunu iki kilise arasında çatışma kadar, birleşme söz konusu olunca da ortaya çıkmaktadır.

Bu tip çatışmalar iki dünya arasında süregelmekteydi. Ancak büyük kitle bu yorum farklılıklarıyla ilgilenmiyordu. Ne zamanki XI. asırda; bugünkü Galata'da bulunan bazı İtalyan kiliselerinin, Batı kiliselerinin, Roma'ya bağlı cemaatlerin konumları ve yaşayışları çatışma konusu oldu ve Bizans'taki Konstantinopol Patrikliği bu kiliselere müdahale etti, kavga o zaman sokağa döküldü.

Roma'dan gelen bir kardinal (Konrad), aforoz beratını Ayasofya'nın mihrabına bıraktı. Bununla *"Sizi tanımıyoruz!*

Kadıköy Rum Ortodoks Kilisesi

Doğu Patrikliği, İstanbul Patrikliği uydurma bir makamdır. Bize itaat etmediğiniz ve bu davranışınızda devam ettiğiniz takdirde, sizinle uzlaşmamız mümkün değildir. Sizi aforoz ediyoruz" demekteydi. Mukabilinde de Doğu Kilisesi, yani İstanbul Patrikliği de aynı şekilde Roma'yı aforoz etti ve Konstantinopol Patriki mukabil aforoz beratını yolladı.

Kiliseler düzeyindeki bu çatışma, maalesef 1204'te, Venediklilerin kışkırttığı Haçlı Seferleri'yle İstanbul'a yöneldi. Konstantinopolis işgal edildi, kent yağmalandı, insanlar öldürüldü. Bu feci durum, *Niketas Konyatis* gibi o zamanki Bizans yazarları tarafından da tasvir edilmiştir. Bizzat Ayasofya bu Haçlı sürüleri tarafından işgal edilip yağmalanmış, manen ve maddeten kirletilmiştir. 1204'ün üzerinden 804 sene geçmiştir ama bu, Doğu Hıristiyanlığının unutmayacağı bir olaydır. Bu olaydan sonra Ayasofya'da artık Ortodoks kilisesi bile aforoz edilen İstanbul patrikinin elinden alınmış ve şehir Roma'ya tabi olmuştur. Şehre bir kardinal gönderilmiştir. Papa vekili olan bu kardinal Ayasofya'ya yerleşmiştir.

Paleolog sülalesi yeniden dönüp Konstantinopolis'i Haçlılar'ın elinden kurtarana kadar elli küsur sene geçmiştir. Bu süre içinde şehir yağmalanmış, yıkılmış, birtakım zenginlikler Batılılara verilmiş; İstanbul'un dışında da imparatorluğun limanları, Yunanistan kıtası ve bir sürü yer, birtakım kontlara, düklere, prenslere, şövalyelere dağıtılmıştır. Patras, Mora ve bugünkü Peleponnes, Batılı lordlara verilmiştir. Bu durum, Ortodoks kilisesinin ve cemaatinin hayatında, tarihî hafızasında çok derin yaralar açmıştır. Bu yüzdendir ki, iki kilise arasındaki ayrılık bugüne kadar devam etmiştir.

Bu iki kilisenin birleşmesi söz konusu olmuş mudur? Evet, 1440'lara gelindiğinde İmparator Manuel Paleolog, Türk seferleri ve zaferleri sebebiyle imparatorluğun küçüldüğünü görmektedir. 1354'te Türkler Gelibolu'ya, Avrupa yakasına çıkmışlardır. 1358 tarihinde Edirne Osmanlılar tarafından alınmıştır ve Osmanlı Trakya'ya doğru yayılmaktadır. Bursa ve İznik gibi yerler çoktan Osmanlı'nın hükmüne girmiştir. Adamakıllı küçülen Bizans'ın bugünkü Üsküdar yakasında Türkler oturmaktadır. Oradan kayığa binilip karşıya, Suriçi İstanbul'una bile geçilmektedir. Şehirde ticaretle uğraşan bir Türk grup da vardır. Hatta bunların davalarına bakmak için bir kadı dahi bulunmaktadır. Böyle zor bir zamanda, Balkanlara da yerleşen Türkler karşısında Bizans, canını kurtarmak için Batı Hıristiyanlığından yardım istemektedir.

Batı Hıristiyanlığı bu yardımı yapacaktır ama taleplerin arkası gelmemektedir. En önemli talep de, kiliseler arasındaki ayrışmanın sona erdirilmesidir. Bu ayrılık sona erdirilirken bu taraftaki ruhbanın hiçbir talep ve yorumu göz önüne alınmaz. "*Siz bizim gibi yapacaksınız, bize itaat edecek ve bizimle beraber olacaksınız*" denmektedir. Çaresizlik içinde birleşmeye taraftar olanlar vardır. Nitekim Floransa-Ferrara Konsili 4 yıl devam etmiş, İmparator II. Manuel, İslamiyet ve Hz. Muhammed konusunda konuşmuş, İslam dünyasının farklı tenkitlerine ve tepkilerine neden olmuştur. Ne garip, bugün Roma kilisesi elan bu nutka atıfta bulunuyor. Gregorios Palamas isimli çağın meşhur teolog ve yazarı, Batı Katolikliğine karşı Ortodoksluğu savunmuştur. Lakin uzlaşma ve birlikteliğin mümkün olamayacağını ifade eden görüşleri dikkate alınmamıştır.

Nitekim birleşmeye karşı kuvvetlerin başında duran Patrik Ghennadius, İmparator tarafından azledilmiştir. Zira kendisi tutucu ve reaksiyoner olarak görülüyordu. Âlim bir metropolit olan Bessarion, Floransa Konsili'nde karşıt bir söylem geliştirmiş, Ortodoksluk içinde Batı'yla uzlaşmayı savunmuştur. Moskova'dan giden Moskova başpiskoposu İsidor da bu görüşlere katılmıştır. Tutulan notlardan ve zabıtlardan anlaşılıyor ki bir tarafta Bessarion, diğer tarafta ise Batı kilisesini temsil eden Kardinal Cesarini, gayet dolu ve etkin nutuklar atıyorlar. Hıristiyan kardeşliği, yanılma, af dileme ve affetme üzerinde gayet iyi bir uzlaşma sağlanıyor, varılan karar; kiliselerin birleşmesidir.

İstanbul'da ise durum farklıdır. İmparator ve çevresi bu konsilin kararlarına katılsalar da ruhbanın ve aristokratların büyük çoğunluğu buna karşı çıktılar. "*Bunlarla mı birleşeceğiz? Biz burada Kardinal mitrası görmektense Türk sarığını tercih ederiz. Bu Batılılar mı bize ekmek vereceklermiş? Onların vereceği ekmektense Türk kılıcı evladır*" gibi sözler ortalıkta dolaştı. Halk karara karşı çıkıp azledilen Ghennadius'un etrafında yer aldı. Bugünkü Zeyrek'te kilisenin etrafına toplanan kalabalık Ghennadius'u kutsadı.

Kutsanan Ghennadius çok zor bir döneme girmişti. Ama şehir Fatih Sultan Mehmed tarafından alınınca, Avrupa tarihinin en bilge hükümdarı, durumdan istifade etmekte gecikmedi. Ghennadius'u çağırıp, büyük bir tören ve iltifatla kendisini yeni Roma-Ortodoks Patriki olarak tayin etti. Bütün Ortodoks milletler ve topluluklar kendisine tabi olacaktı. Onların vergilerini toplayacak, mekteplerini idare edecek, idarî ve hukukî işlerinden sorumlu olacaktı. Burada hukuk kelimesi ile kastedilen, özel hukuk idi, yani evlenme, boşanma, miras gibi konular. Bu döneme biz hukuk tarihinde Türk idaresi dönemi [Turkokratia] diyoruz. Roma hukuku tarihinde önemli bir safhadır bu.

Osmanlı İmparatorluğu Ortodokslara özerklik verdi, kendilerine büyük kolaylık sağladı. 451 Kalkedon-Kadıköy Konsili'nden kalan Süryani Kilisesi (Süryani-Kadim), Ermeni Kilisesi ve Kobt Kilisesi varlıklarını sürdürdüler. İmparatorlukta yaşayan eski İtalyan, Cenevizli ve Venedikli aileler; buraya yerleşmiş, Avrupalıların 'Levanten-Doğulu' dediği Roma-Katolik inancındaki kimseler, inançlarında özgür bırakılmıştı.

Türk İmparatorluğu, Luther'in ortaya çıkıp etkili olduğu günden itibaren Protestanları da çok tutmuştur. Acaba Türkler, Protestanların kendilerine taraftar olduklarını mı düşünüyorlardı? Protestanlar Türkleri çok mu seviyorlardı? Hayır, Luther'in anti-Türk tezleri malumdur. Bunlar yenir yutulur şeyler değildir. Bütün mesele, Protestanlığın Katolik dünyasını rahatsız etmesiydi. Bu çok desteklenen bir politikaydı. O devrin temsilî resimlerinde kilise gemisini önleyenler; ejderhalar, sarıklı Türkler ve silindir şapkalı Protestanlardır.

Kısacası, Hıristiyan kiliseleri arasındaki ayrılığın ve Protestanlık gibi bağımsız yeni bir yorumun ortaya çıkışında, Osmanlı fütuhatının büyük payı olmuştur. Bu dönemden sonra iki kilise arasında birleşme ihtimali çok zayıflamıştır. Türk İmparatorluğu'nun varlığı sebebiyle, İtalya merkezli Roma-Katolik kilisesi ile Ortodoks kilisesinin birleşme ihtimali ortadan kalkmıştır. Bir de şunu ekleyelim: Türk İmparatorluğu içindeki Ortodoksluk, Protestan akımlara karşı Katolisizmden daha fazla karşı koyabilmiştir. Nitekim Roma-Ortodoks patriklerinden biri olan Kyril Loukaris, Protestanlığı benimsemiş görünmektedir. Bunun propagandasını yapmaya çalışırken, mahallî Ortodoks çevreler ve din adamları tarafından şiddetle itham edilmiş ve görevden alınmıştır. Bab-ı âli ise onların bu taleplerini dinlemiş ve dikkate almıştır. Bab-ı âli, din adamlarının ve kilisenin başını tayin ederken, mahallî çevrelerin ve grupların taleplerini dikkate alırdı; aziller konusunda da itirazları göz ardı etmezdi.

Bilinmeyen ve araştırılmayan bir konu da Moskova'daki Patrik ile İstanbul arasındaki ilişkilerdir. Bunu Ortodoks çevreler de iyi bilmiyor. Rusya'daki Başpiskopos ve çevreleri, Konstantinopol düştükten sonra, *"Bu kilisenin hâkimiyeti artık bize aittir"* dediler ve patriklik istediler. Bu patriklik derecesine yükseltilmede İstanbul'un rolü ne olmuştur? Müspet midir, yoksa menfi mi? İstanbul bunu istemiş midir, istememiş midir? Bu konu henüz karanlıktır. Moskova Merkezî Devlet Eski Belgeler Arşivi'ndeki (ZGADA) fontları tetkik etmek gerekir. Ama şurası bir gerçektir ki, 15. asrın sonundan itibaren Ortodoks dünyada bir patriklik daha vardır ve ilerde bunların sayısı artacaktır.

Birleşme durumu, 1950'lerde ve fiilen 1960'larda gündeme geldi. Papa'nın Türkiye'yi ve Fener Patrikhanesi'ni ziyaretiyle bu konu açıldı. Katolik, Ortodoks ve Protestan dünyada bu soru tartışılırken, bazıları "*mümkün değil*" dediler. Çünkü eski zamanlardaki kavgalara sebebiyet veren yorum farkı halen varlığını sürdürüyor. Ortodoks dünyada birtakım zümreler hâlâ bu birleşmeye karşı çıkıyorlar. Bazı Hellen çevrelerinde, bilhassa geniş Slav-Ortodoks dünyasında bu konu hiç de iyi karşılanmıyor.

Meselenin ne olduğu bizim dışımızdadır. Bunlar sonunda birleşecek değiller, ama iç içe ve müşterek hareket edecekler; bu da Türkiye'nin aleyhine bir gelişme olacak diye şimdiden tartışmalara başlamanın manası yoktur. Rusya ayrı, autosefal ve iddialı bir ruhanî dünya, bir kilise olarak yola devam edecek gibi görünüyor.

'SOYKIRIM' İDDİALARI ÜZERİNE

Génocide, kısaca 'soykırım' demektir. Soykırımın özgün bir tarifi vardır, ki bu milletlerarası hukuk konusudur. Gene de yapılan tespitin ne kadar işlerliği olduğu tartışılmaktadır. Bu karmaşık hukukî müesseseyi anlamak için, hukukçu olmak da yetmez. Geniş ve mukayeseli bir tarih bilgisine ve beşerî coğrafya hamulesine ihtiyaç vardır.

Bizim ülkemizin okuryazarları, soykırım fiilini, herhangi bir katliamla karıştırıyorlar. Tarih bilinci olmayan, özellikle de kültür tarihini mukayeseli olarak mütalaa etme eğitiminden geçmeyen aydınlar, bu gibi kavramları isabetli kullanamazlar. Geniş kitle, Ermenilerin katledilmediğini, aksine onların Türk ve Müslümanları katlettiğini söylüyor. Bu kaydı öne sürenlerin Ermeni olaylarını sözel tarih yoluyla öğrendikleri anlaşılıyor. Bildikleri doğrudur, ama tam değildir.

Buna karşılık, kendilerini beynelmilel mehafilin üyesi zanneden bazı işbitiriciler; "*Şu soykırımı kabul edelim, bu sayede Avrupa'ya da alınırız*" diyorlar. Az sayıdaki bu hatipler, şu sıralarda en çok iltifat görenler. Ama iltifat görmekle tasvip görmek aynı şey değil. Ne var ki bu platformlarda, Ermeni-Türk çatışmalarının tarihini ele alan Türkler, hatta Ermeniler ortaya çıkmaya başladı. Başlangıçta pek sevimsiz ve lüzumsuz kabul edilen bu tez sahipleri, giderek ciddiyetle dinlenmeye başlanıyor.

Soykırım, mürur-u zamana (zaman aşımına) bağlı olmayan bir suçtur. Asırlar da geçse, kovuşturulur. Bunun tarihsel-kültürel açıdan anlamı şudur: Soykırımın suçlusu, tarihsel ve kültürel altyapıdır. Buna göre Türklerin geçmişi, yani dedelerimiz, Ermenilere karşı kin tohumları atan ve onları yok etmeyi planlayan adamlar olmalıdır. Oysa böyle bir durumu gösterecek yazılı-sözlü bir kültürel altyapı mevcut değildir. Gene buna göre, torunlarımız suçludurlar, suçlu olacaktırlar, çünkü 'kasap'ların torunlarıdırlar.

Gerçi bazıları, soykırımı iddiasını kabul etmemizin geriye yürüyen tazminat yükümlülüğü getirmeyeceğini söylüyorsa da; bu gibi talepler her zaman ve değişen zeminde ileri sürülebilir ve kabul ettirilebilir.

Kaldı ki, bir toplum için ağır bir suç ve suçlama teşkil eden soykırımın parayla ölçülmesi de mümkün değildir. Böyle bir suçu kabul edersek, geleceğin Türk nesillerine de ecdada da haksız bir yafta yapıştırmış oluruz. Üstelik biliyoruz ki imparatorlukların parçalanması her yerde hazin ve kanlı etnik çatışmalara neden olur. Bu gibi olaylar Karadeniz'de de, Arap Yarımadası'nda da farklı düzey ve derecelerde kendilerini göstermiştir.

Osmanlı Ermeniliği, yaşadığı coğrafyada tarihsel 'priorité', yani evleviyyet hakkı olduğunu iddia ederek mücadelesine başladı. Eğer bu mücadele muvaffak olsaydı, başka türlü bir tarih yazılacaktı. Muvaffakiyetsizliğin nedeni olarak, bölgedeki nüfuslarının azınlık olduğu zikredilmeyecekti. Ne var ki, savaşan

Osmanlı hükümeti de civardaki diğer çeşitli etnik gruplar da Ermenilikle çatışmaya düştü.

Demek istediğimiz şu ki gerçekten soykırımcı bir kültürel altyapı olsaydı, çatışmaya neden olacak unsurlar daha baştan ortadan kaldırılırdı. Soykırımcı bir kültürel ve idarî altyapı, Anadolu'nun ortasında ve Batı Anadolu'da Ermeni bırakmazdı. Türk halk edebiyatında ya da divan edebiyatında Ermeni karşıtı, çarpıcı ve kışkırtıcı eserler olması gerekirdi, oysa böyle deyişler bile yoktur.

Ortaçağlardan beri Avrupa'da Yahudi düşmanlığına yönelik düşünce, deyiş ve eylemler vardı; ama özellikle Luther'den beri Almanya, Yahudi ticarî tekelinden söz ederdi, Paskalya zamanı iğneli fıçı hikâyeleri canlandırılırdı, vs. Hatta çağımızın lâikliği, XIX. asırda yeni umutlarla yükselirken; yaşadığı toplumlarla kaynaşma amacında olan reformist Yahudi Theodor Herzl, Yahudi düşmanlığının bu sefer din dışı, ırkçı bir toplumda, sadece Avusturya ve Almanya'da değil, lâik devrim geçiren Fransa'da dahi yeniden doludizgin devam ettiğini gördü ve "Yahudi Devleti" projesini yürürlüğe koydu.

Osmanlı toplumunda, Ermenilere karşı böyle yaygın bir edebiyat ve hareket söz konusu değildir. Şurası bir gerçek ki, din değiştiren bazı gruplar yerlerinde bırakıldılar ve sürgün sırasında da Batı şehirlerindeki Ermeni nüfus yerlerinde kaldı.

Ermeni tehciri karşılıklı kanlı ve hazin olaylarla doludur. Türk ve Ermeni tarihçilerin karşılıklı olarak bunları araştırmaları gerekir. Ne var ki, unutulmaması gereken bu olayları saptırarak kullanmak ve yerli yersiz haykırmak da doğru değildir. Ancak bu çatışmalarda soykırımın kesin belirlenmiş şartları ve nedenleri yoktur. Siyasî emellerle çıkan çatışmalarda uygulanan tedbirler ve tehcir, soykırım havası ve programı içinde hazırlanmamıştır. Bizzat Osmanlı hükümetinde Ermeni bakanlar vardır. İttihat ve Terakki'nin önderleri içinde, Hüseyin Cahid, Halide Edip gibi Ermeni taraftarları bulunmaktadır.

Doğrusu, bir asırdır Ermeniler lehinde literatür meydana getiren Avrupa güçlerinin hiçbiri, sanıldığının aksine, Ermenilere ciddi müzaherette bulunmamışlardır ve hatta tehcir planlarının Alman Genelkurmayı'nın telkiniyle ortaya çıktığını Burckhardt, Brentjes gibi yazarlar da tekrarlar. Tehciri öneren ve kabul ettirenler, Enver Paşa'nın Almanlardan oluşan Genelkurmay heyetiydi.

Hiç şüphesiz, tehcirdeki bazı katliamlar her eyalette tekrarlanmamıştır. Becerikli idareciler tehciri zayiatsız yönetebilmiş, bazıları ise inisiyatifi sorumsuz parti militanlarına veya Ermenilere kin tutan diğer mahallî etnik gruplara kaptırmıştır. Bu durumun, gerçekten masum olan, organize olmayan ve siyasî emelleri bulunmayan Yahudileri planlı şekilde yok eden Nazi Holokostu'na benzetilemeyeceği açıktır.

Hal böyle iken, Avrupa'da ortalama insanlar, yakın zamandaki Nazi Holokostu'nu Ermeni tehcirine benzetiyorlar. O zamanın tarihçi kaynaklarından çok, yeniden inşa edilen tarih risaleleriyle ilgileniyorlar. Almanya'nın yeni nesilleri, II. Cihan Harbi'nde devleti yönetenlerin yaptığı holokosttan çok utanıyorlar. Bir nesil evvelki Almanlar, "*Schiller'in, Goethe'nin, Wagner'in, Beethoven'ın halkıyız*" diye övünürlerken, bugünün Almanları, "*Yahudi kasabının çocukları*" diye nitelendiriliyor. Yeni Avrupa gençliği de ulusal kimliğini gölgeleyen bu olayları unutturmak elden gelmediği için yaymak, başka kıtadaki benzerlerini yaratmak ve abartmak için çırpınıyor.

Irkçılığa karşı olmak belki dürüst bir eğilim; ne var ki, bütün dünyayı ve tarihi, engizisyonun ve Nazizm'in tekrarı olarak vurguluyorlar. İşte bu vurgulamanın çok safiyane olmadığı açıktır. Suçlular kendilerine suç ortakları, suç arkadaşları arıyorlar.

Hatta bazen budalaca iddialara rastlanıyor. Alman resmî çevrelerine yakın, Tessa Hoffman adlı bir yazar; Birinci Cihan Harbi'nde Trabzon'da Ermeniler için gaz odası inşa edildiğini yazıyor.

1914-15'in Trabzon'unda hangi para ve hangi teknolojiyle bu iş başarılacaktı? Osmanlı başkentinde ve en mutena kolordularda dahi, bırakınız gaz odasını, bitlenmeyi yok edecek etüv makinesi bile yoktu, üretilemiyordu.

Bunları yazan, Auschwitz'deki gardiyanlara ortak arıyor. Mücrimlerin halefleri ve çocukları, maalesef soğukkanlı tarih değerlendirmelerinden çok, atalarının ayıbını dağıtma gayreti içindeler. Gelecek nesilleri ipotek altına koyacak suçlamaları kabul edemeyiz. Çünkü suçlamaların mahiyeti çok değişiktir.

Nihayet, kavram ve hukuk bilmeden soykırım suçlamaları yapanlar kadar; bunları aynı bilgisizlikle kabul veya reddedenleri de görüyoruz. Bu haksız ve çok ciddi bir suçlamadır. Bunu kasten yapanları ciddi olarak niteleyemeyiz, bunların art niyetliler kategorisinde oldukları açıktır.

Soykırım suçlaması, ne Kıbrıs sorununa ne de Ege sorununa benzer. "Aman canım" zihniyetiyle hareket edenlerin veya Amerikan üniversite merkezlerindeki risaleleri okuyarak düşünmeye çalışanların konuyu kavrayamadığı açıktır. "Soykırım" kavgası, Diaspora'daki sorumsuz grup ve kişilerin kendilerine göre ürettikleri yorumlarla çözülemez.

Aynı biçimde, Türkiye'deki bazı zümre ve şahıslar da Türk tarihçiliği adına hareket ediyorlar. Resmî tarih fobisini kışkırtanların bir tutumu var; soykırımı reddeden herkesi, devletin müstahdemi ilan ediyorlar. Bu tutum, belki gürültüyü artırır, ama diyalogu keser.

Tarihî yöndense bir gelişme var: Ermenistan'ın artık devlet olması, hem Ermeniler hem de Türkler açısından bir avantaj. Ermeni devleti olduğunu herkes her an hatırlamalı. Ve son zamanlarda, bu sorunu Ermenistan'ın kurumları ve akademisyenleriyle tartışmaya başlamak daha yararlı görünüyor. İki memleketin ortak geleceği ve sorunları, bu sorunu tartışmada aklıselimi getiriyor gibi.

TARİH-SANAT İLİŞKİSİ

En önemli problemlerimizden biri; tarih dediğimiz geçmişle, geçmiş malzememizle bugünkü sanatların ilgisi, ilişkisidir. Roman, tiyatro ve sinemanın tarihle ilişkisi, ilgisi...

Sinema, 1960'lardan sonra tarih malzemesine el atmıştır. Tarihi kendi episod ve dramatik formları için kullanması bir yana, Rossellini gibileri adeta tarih hocalığı yapmaktadırlar. Akademya tarihçisinin kâğıt üzerinde yapmaya çalıştığını, bunlar sinema üzerinden gerçekleştirmeye çalışmaktadırlar. İtiraf etmek gerekir ki 1960'lardan sonra sinema, tarihe başka türlü bir yaklaşımı getirmiştir. Mesela Polonya'nın ünlü rejisörü Andrej Wajda, Macarların Istvan Szabo ve Zoltan Fabbri'si, İtalya'dan Pier Paolo Pasolini ve Visconti insanlık tarihine yaklaşımları ile akademisyen tarihçiden çok daha etkili olmaktadırlar. Bunun nedenleri üzerinde durmak gerekir.

Tarih bilinci, özellikle XVIII. yüzyıl Avrupası'nda yeni bir görevle ortaya çıkmıştır. Bu, Voltaire'in kullandığı bir terimle, tarih felsefesiyle açıklanabilir. Geçmişi geleceğe yönelik bir biçimde, teleolojik (gaî) bir yorumla kaidelelendirmek... Geçmiş geleceği inşaya yöneliktir; geçmişin yorumlanmasıyla, bugünün insanına ve toplumuna belirli görevler verilmektedir. Hiç şüphe yok ki, Voltaire'in bu yaklaşımı 14. Louis Fransası'nı işaretler. Beşeriyetin Eski Yunan-Roma-Rönesans diye biçimlendirilen safhaları, nihayet 14. Louis Fransası'nda zirveye ulaşmaktadır. Bundan sonra beşeriyet, çağdaş Fransa'dan, XVII-XVIII. yüzyıl Fransası'nın dininden, edebiyatından, felsefesinden, ilminden ve sanatlarından istifa ederek gelişecektir. Süreç buradan başladıktan sonra insanların eğilimleri ve safhaların niteliği değişmiştir. Hegel bambaşka bir filozofik yaklaşımla, işi Prusya Alman devletine götürmektedir. Ona göre gelecek bundan sonra bu temeller üzerinde inşa olacaktır.

XIX. yüzyıl felsefesinin ve toplum bilimlerinin insan düşüncesine ve eğitimine ivme kazandıran olumlu yanı budur; ancak beşeriyeti yeni sapmalara ve saptırmalara götüren yönü de budur. Oysa tarih kendi koşulları içinde kaçınılmaz sonlara doğru gelişmektedir. Yani toplumu ve insanları suyun kaynamasında geçerli olan kurallarla yorumlamak ne kadar tutarlıdır? Ama şunu da söylememiz gerekir: XVIII. yüzyıl aydınlanması, kitlelere tarihsel bilinç vermek, tarihi yorumlayıp geleceğe dönük misyonlar yüklemek konusunda, tarihî malzemeyi ustalıkla kullanmıştır.

Bunu yapanlar büyük yazarlardır. Bu yazarlar aynı zamanda tarihçidirler. İşte Goethe... 1788'de "Egmont"u ortaya çıkarıyor. Tarihî bir kişilik olarak Egmont aslında oldukça korkak ve çekingen biridir. Ama işe bakın ki, Goethe'nin Egmont'u bir kahraman olarak yorumlanmıştır. Mühim olan o değildir; İspanya'ya başkaldıran Egmont insanın özgürlüğünü, başkaldırısını ve geleceğin tarihini inşa etmesini imleyen XVIII. yüzyıl liberalizmini örneklemektedir.

Çok etkili mısraları ve tasvirleriyle Friedrich Schiller, mezhep kavgalarına dayalı 30 Yıl Savaşları'nın (1618–1648) ikircikli komutanı Wallerstein'i ele almaktadır. Marie Stuart da bir çelişkinin ve monarşinin sınavının eseridir. XIX. yüzyıl Avrupası'nda Fransa, imparatorluk kuruyor; yani bir bakıma Hıristiyan Avrupa'nın yenildiğini, Alman Mukaddes Roma İmparatorluğu'nun dağıldığını açıklıyor. Ola ki yalan söylüyor. Avusturyalı Franz Grillparzer de, "Kahrolsun Yalan Söyleyen!" [Weh dem, der Lügt!] adlı oyununda o dönemin tarihçiliğinde, romantik bir yoruma tabi tutulan Hıristiyanlık öncesi Germen soylarının hassaten yüceltilmesini adeta yerden yere vuruyor. Hıristiyan Avrupa bu barbarlığı, bu aşağılık devri sona erdirmektedir. Bu bir yorumdur. Gene aynı şekilde monarşinin, devlete hizmetin, ona tabi olmanın, hükümdara sadakatin en büyük fazilet olduğunu; beşeriyetin yazgısını müspet yolda sürükleyecek bir erdem, bir yöntem olduğunu "Efendisinin Sadık Hadimi" adlı oyununda ortaya koymaktadır. Hiç kuşkusuz ki bunlar basit propaganda eserleri değildir. Eğer öyle olsaydı İmparator Franz Joseph dönemi Avusturyası'nın sansür komisyonu, bu oyunları yasaklamazdı. Bu oyunlar, monarşinin devletçiliğinin ve monarşist sadakatin kullanacağı söylemlerin ötesindedir. Çok ilginç bir biçimde XX-XXI. yüzyılın insanı bile konu üzerinde bazı siyasî formüller bulmaktadır.

Tarih bilinci, tarihin kitlelere kabul ettirilmesi, tarihin yorumlanarak bir siyasî misyona dönüştürülmesi XIX. yüzyıl Avrupası'nın en önemli yüzüdür. İşte Polonya edebiyatı, işte Rus edebiyatı! Puşkin, merkezîleşmiş millî bir Rusya'nın kuruluşunu ortaya koyar. Ve şunu itiraf etmeliyiz ki burada çizilen olaylar ve verilen tarihî mesajlarla XX. yüzyılın parti teorisi sayılabilecek bu eserlerde ünlü rejisör Eisenstein, Korkunç İvan'dan daha etkili, daha sanatkâr bir üslup kullanır ve vakayinameci denen manastır keşişi Pymen'in ağzından konuşur: "Söyleyecek son bir sözüm var ve vakayinamem bitiyor."

Burada iktidarın ve düzenin, beşeriyeti ve Rusya'yı götüreceği yola işaret ediliyor. Bu bir fetret devridir. Fetret devri sırf Osmanlı için söz konusu değildir. 1613 öncesi Rusya'nın karanlık 16 yılını Boris Godunov da çiziyor; Rusya'nın nereye gideceğini, gitmesi gerektiğini, Romanovlar hanedanının akıbetini adeta bir tarihçi gibi yorumluyor. Puşkin *Yüzbaşının Kızı* romanında, isyancıları çizerek ve monarşinin oradaki tarihî gerekliliğini vurgulayarak aynı şeyi yapıyor. Hiçbir zaman da taraf tutarak ucuz karalamalara veya yüceltmelere gitmiyor.

Galiba bizim tiyatro edebiyatımızda, bunu bir parça Orhan Asena "Ya Devlet Başa Ya Kuzgun Leşe"de yapıyor. Turhan Oflazoğlu da IV. Murat gibi bir portre çiziminde bunu açıkça ortaya koymuştur, yalnız biraz fazla açık davranmıştır. Nitekim aynı şey *Sokrates'in Savunması*'nda da görülür. Sokrates'in muhalifleri, bu bilge ve dâhi kişinin karşısında adeta birer maskara olarak dururlar. Oysa Eski Yunan tarihini ve felsefesini bilenler durumun böyle olmadığını bilirler. Sokrates'in muhalifleri çok çetin cevizdirler, Sokrates'e yaptıkları itirazlarda hakikat payı da vardır. Tarihî drama, trajik çözülmezlik dediğimiz bu noktanın üzerinde ustalıkla durmalı ve seyircide bunu uyandırmalıdır.

XIX. yüzyılın büyük romancıları vardır. Ünlü Gustave Flaubert, Kartaca hâkimi general Hamilkar Barkas'ın kızının, Hannibal'ın kız kardeşinin etrafında, Kartaca tarihini çizmektedir. Romanda bir isyancı şefin, genç bir asi komutanın Kartaca hâkimiyeti için çatışması anlatılmaktadır. "Salambo" bu iki taraf arasında kalmıştır; kendisi kenti yönetenin kızıdır, âşık olduğu adam ise asi lideridir. Aslında bu biraz fantastik bir olaydır, ancak tam tarihe uymasa da böyle bir fantezi yaratılabilir. Önemli olan, bu trajik romanı yazan insanın derin bilgisidir. Flaubert, sadece Salambo'nun makyaj ve kıyafetini tasvir edebilmek için 300 cilt kitap karıştırmıştır. Tabii böyle meraklı bir romancıyı besleyecek kütüphane ve çalışma ortamı da vardır etrafta. XIX. yüzyıl Fransası'dır burası. Böyle bir ortamda yazar, istediğini millî kütüphanesinde bulabilmektedir.

Osmanlı tarihi üzerine bir drama, bir roman kaleme almak isteyecek birinin, buralarda bu şansı bulamayacağı ortadadır. Birçok engel vardır: Maddî imkânsızlık, yazarların olur olmaz fantezileri, tarafgirliği gibi...

Yine de son zamanlarda iyi romanlar yazılabilmektedir. Mesela genç tarihçi Reha Çamuroğlu'nun Şah İsmail'i anlatan *İsmail* isimli romanı bu konuda ümit vericidir. Reşat Ekrem Koçu'nun romanlarını da yabana atamayız, bunları okumak gerekmektedir. Zira eksik de olsalar insanı o tarihî atmosferin içine çekebilmektedirler.

XIX. yüzyıl Polonya edebiyatı, tarihî roman alanında inanılmaz başarılı örnekler vermiştir. Mesela Henryk Sienkiewicz, *Quo Vadis* adlı romanıyla, okuyucularına, Roma tarihini ve cemiyetini, tarihçilerden çok daha etkin biçimde vermektedir. Sanki bu kitabı, bilgisi ve kalemi kuvvetli bir Alman tarihçi yazmıştır. Kitapta müthiş bir Roma tarihi anlatılır. *Quo Vadis*'i bu şekilde yazıp insanları etkilemek, özellikle bunu romanla gerçekleştirmek şaşılacak bir şeydir. Olayın kaynağı Roma Via Appia'daki bir kilisedir. Havari Peter Roma'dan kaçarken karşısına Hz. İsa çıkar ve ona sorar: "Domine, Quo vadis? -Nereye gidiyorsun?"

O da "Roma'ya, senin yerine çarmıha gerilmeye!" der. Aziz Peter misyonundan vazgeçtiği için pişman olur, geri döner ve sonunda çarmıha gerilir. Bunun üzerine Polonyalı Henryk Sienkiewicz bu müthiş romanı yazar. Aynı yazarın diğeri kadar bilinmeyen "Ateş ve Kılıç" [Ogniem i Mieczem] adlı eseri de 1630'lu yıllardaki Polonya'yı anlatan bir eserdir.

Nobel alan bu Polonyalının yanında bir başka Nobelli yazar daha vardır: Wladyslaw Reymont. Reymont, XIX. yüzyıl Polonyası'ndaki içtimaî değişimi -tabii sadece sosyologluk yapmadan, romancıdan beklenen başka boyutlarla- "Vaat Edilen Toprak" [Ziemia Obiecana] adlı romanında kaleme alır. Wajda da bunu başarıyla filme almıştır. Üzerinde biraz duralım: Polonya'da o zamanki Rusya hâkimdir. Romanda I. Manchester denen, aslında Polonya sanayinin ve yaratıcılığının yeni merkezi olan şehir, bütün şaşaalı tarafları yanında bütün rezaletiyle de bir bir tasvir edilir. Böyle bir roman 3. Dünya ülkelerinde de, bugünkü Asya'da da, bugünkü Rusya'da da, bugünkü Amerika'da da henüz yazılmadı. Yani beşeriyet, üzerinden hemen hemen 150 sene geçmesine rağmen Polonya'nın Reymont'u gibi bir yazar çıkarıp da o değişim asrının facialarını romanlaştırabilmiş değildir.

Türkiye roman türüne geç girmiştir. Maalesef tarihî roman alanında da ne iyi bir malzemeye sahiptir, ne de farklı, renkli örnekler çıkarabilmiştir. Bir zamanlar Kemal Tahir'in 'Devlet Ana'sı toplumda büyük bir münakaşa uyandırmıştı. Osmanlı Devleti neydi, nasıl kurulmuştu? Bu devletin ve toplumun tarihî fonksiyonu, misyonu neydi? Tartışılan bunlardı. Bu tartışmalar çok uzun sürmüş, ben de buna katılmıştım. Bazıları kendilerine sormuşuz gibi yazarı "faşist" roman yazmakla suçluyordu. Bir taraf Kemal Tahir'i görmezliğe gelirken, öbür taraf "*Artık Türk ro-*

*manı budur. Bu romandan önce yazılanları unutun, bundan son-
ra yazılacak romanlar da bundan hareketle yazılmalı"* diyorlardı.
Bu yaklaşım tabii ki çok abartılıdır. Türk romancılığı, ne Yakup
Kadri'yi ne de Reşat Nuri'yi unutma lüksüne sahiptir. Ancak şu-
rası da bir gerçek ki, bu örnekler dışında tarihî malzemeyi roman
formatında iyi işleyen az, çok az örnek vardır.

Tiyatroda neler yaşadık? Reşat Nuri'nin "Yaprak Dökümü"
romanı 1930'larda tiyatrolaştırıldı ve ilk kez bir oyun 100. kez
perdelerini açabildi bu eserle. O zamanlar oyunların bir hafta-
dan fazla gösteri şansları yoktu. Peki, Yaprak Dökümü'nün şan-
sı veya farkı neydi? Kendisine gösterilen ilginin sebebi neydi?
Kanaatimce bu soruların cevabı şudur: Toplum, içinden geçtiği
Batılılaşma sürecinin, yaşadığı tarihin muhasebesini yapma ihti-
yacını hissediyordu. Üst üste yapılan ve kutlanan inkılâplara bir
de başka açıdan bakma imkânı sunuyordu bu oyun. İnkılâpların
ve değişimin ailede nasıl bir gidişata sebep olduğu gösteriliyordu.
Reşat Nuri elbette ki inkılâplara karşı değildi, ama inkılâpları bir
tarafıyla sorgulamıştı. İlginin nedeni buydu ve oyunun dramatik
kurgusu da romanın kendisi kadar sağlamdı.

II. Meşrutiyet ve Cumhuriyet yıllarında yazılmış ve bugüne
kadar gelmiş çok az tarihî drama, tiyatro ve roman vardır. Yazıl-
dığı dönemde çok okunan romanlar bile bugüne kalamamıştır,
kalsalar da bugünkü okuyucuya hitap edememektedirler. Oysa
Boris Godunov, Yüzbaşının Kızı ve *Egmont* hâlen seyrediliyor ve
okunabiliyor.

Evet, bugüne kalmış iyi romanların yazarları kabiliyetli ola-
bilir, konuyu sağlam dille işlemiş olabilirler ama özellikle şunu
yapabilmişlerdir: Yazdıkları konuyu çok iyi araştırma, okuma

imkânı bulmuşlardır. Zengin kütüphanelerde, ilgili oldukları konuya dair akademik çalışmalarla karşılaşmışlardır. Demek ki akademik tarihçiliğin gelişemediği ortamda tarihî romancılıktan önemli atılımlar beklemek mümkün değildir.

Son sözü söyleyerek konuyu kapatalım. Romancı ve tiyatro yazarı tarihî gerçeklere akademik tarihçi gibi sadık kalmak zorunda değildir. Ama sadakatsizliğin de bir ölçüsü olmalı ve bu sadakatsizlik, cehaletin sonucu olmamalıdır. Eğer bu sapma, bu yanlış ve ters yorumlama, yanlış bilgiden veya bilgisizlikten kaynaklanıyorsa durum vahimdir.

OSMANLI'DAN GÜNÜMÜZE MÜZELER

Müze, bilindiği gibi Yunanca kökenli bir kelimeden gelir. Mitolojideki müzalar; Apollon'a bağlı, müzik ve dansla tanınan periler etrafında gelişen bir tanımlamadır. Buna karşılık Diyonisyen sanatlar vardır. Eski dünyadaki sanatları, Nietzsche'nin tarifiyle Apolloniyen ve Diyonisyen diye ayırmak mümkündür. Apolloniyen sanatlar; daha çok göze hitap eden mimarî, resim gibi sanatlardır. Yine Nietzsche'nin tarifine göre Diyonisyen sanatlar ise; tiyatro, müzik ve şiir sanatlarıdır.

Mitolojideki müzalar, yani güzellik perileri, musiki kelimesine öncülük etmiştir. Sözcük, Eski Yunancadan Arapçaya geçmiş ve müze kelimesinin de öncüsü olmuştur. Bu müzalar, bugünkü müzelerin de ilham kaynağıdır. Peki, bu müzenin kendisi Eski Yunan'da acaba var mıydı? Araştırmalarımıza göre yoktur. Müze benzeri bir şey; ilk defa Mısır'da İskenderiye'de, Büyük İskender'den sonra diyodohlardan, yani haleflerden General Ptolemaios Mısır'da bir krallık kurunca ve Yunanlılar orada yeni kurulan şehirde yerli unsurlarla kaynaşmaya başlayınca ortaya çıkmıştır. Pinokotek denen bu bölümde, revaklı sütunlu yerde, revakların altında bazı eserler teşhir edilmeye başlanmıştır.

Aslında müze gibi kolleksiyonlar, insanlık kadar eskidir. Mesela Kalde Kralları'nın, Eski Sümer eserlerini ve Sümer tabletlerini sakladıkları biliniyor. Eski dünyada, eski edebiyatların ve kaybolmuş medeniyetlerin eserlerini biriktirmek çok yaygındı. Çünkü kolleksiyonculuk insanî bir eğilimdir. Rönesans'ta müze, halka açık olmayan kolleksiyonlar demekti. Botanik bahçeleri, hayvan cinslerinin beslendiği zooloji bahçeleri, bunların yanında satın alınan tablolar, heykeller, özellikle eski dünyaya ait eserler ve kitaplar, kütüphaneleri ve müzeleri meydana getirmiştir. İtalya'daki dukalıklara ve papalığa ait bu tip kolleksiyonlar, bilhassa Floransa'da Medici ailesi gibi zengin, bilgili ve zevkli bir hanedanın ve Urbino dukalarının zamanında daha da gelişti. İtalya Avrupa medeniyetinin kaynağıdır, Avrupa medeniyetinin temel müesseseleri İtalya'da doğmuş veya inkişaf etmiştir. Sonra Avusturya granddüklerinin, Alman imparatorlarının topladığı kolleksiyon ve kütüphaneler, Fransa ve İspanya krallarının kolleksiyonları İngiltere'de müzeciliği geliştirmiş, XVIII. asırda bütün Avrupa ve Rusya da bu kervana katılmıştır.

Sanılmasın ki Osmanlı Türkiyesi bunun dışındadır. Tarihçi Kemal Paşazade veya İbn-i Kemal'in tasvirleri çok açıktır. Batı ve Doğu kültürleri konusunda bugünkü aydınlarımızın bile henüz ulaşamadığı bir seviyenin sahibi olan bir Rönesans hükümdarı, genç mareşal II. Mehmet'in malum dünyası böyle bir faaliyeti doğurmuştur. İbn-i Kemal Topkapı Sarayı'nın Fatih Köşkü dediğimiz çekirdek binasında, sadece mücevherat değil, bazı heykellerin de toplandığını yazar. Bunlar Fatih'in ölümünden sonra dağılmıştır. Dağılmayan kalıntısı, muhteşem çini kolleksiyonudur. Eğer Fatih toplamasa 1200 parçalık bu kolleksiyonun en nadide parçaları eksik olacaktı. Ancak ne yazık ki bu müzecilik denemesi XV. asrın sonunda bitmiştir. Gerçi Kanuni de bu gibi konulara meraklı bir padişahtı, Saray Kütüphanesi ona da çok şey borçludur. Budin'den Kral Matyas Korvin'in kitaplığından getirttiği kitaplar dahi yeter.

Müzecilik Türkiye'de XIX. yüzyılda başlamıştır. Son derece kültürlü biri olan Tophane Müşiri Fethi Ahmet Paşa, imparatorluğun dört bir yanındaki eserleri elinden geldiğince toplamış, Aya İrini Kilisesi'nde ilk müzeyi teşkil etmiştir. Bu toplanan eserlerin sınıflanması ve kataloglanmasıyla bir müze meydana gelecektir. Arkeoloji Müzesi'nin, Müze-yi Hümayun'un meydana gelmesiyle de Türkiye'de modern müzeciliğin temelleri atılmış oldu. Zira Müze-yi Hümayun'da, zamanın aydın sadrazamı Ahmet Cevat

Arkeoloji Müzesi

Paşa'nın verdiği çok zengin bir seminer kitaplığı da vardı. Bu kütüphane 1925'lere kadar, çağdaş araştırmacıların isteklerine cevap verecek kadar kusursuzdu. Zamanla Osman Hamdi Bey ve Aziz Bey gibilerin yaptıkları kazılar sonucunda, Mezopotamya ve Anadolu'dan gelen tabletlerle bir Eski Şark Seksiyonu da kuruldu. Bu müthiş müze, önemli bir başlangıçtır. Bunun ardından da bazı önemli faaliyetler yapılmıştır. Fakat asıl önemli adımlar; Cumhuriyet devrinde kurulan Ankara'daki Arkeoloji Müzesi, Etnografya Müzesi ve İstanbul'daki Harbiye Askerî Müzesi'dir. Resim Heykel Müzesi de Türkiye tarihinin önemli müesseselerinden biridir.

Osman Hamdi Bey'in kardeşi Halil Ethem Bey zamanında Müzeler Genel Müfettişliği gibi bir makam ihdas edilmiştir. Bu Müzeler Genel Müdürlüğü'ne çok benzer bir yapılanmadır. Saltanatın kaldırılmasından sonra Topkapı Sarayı da derlenip toplanmıştır. Topkapı Sarayı Müzesi'nin ilk resmî müdürü Tahsin Öz'dür. 1928 ile 1952 arasında 25 yıl müdürlük yapmış, bu müzenin birçok kısımlarını tamir ettirmiş, kolleksiyonların kataloglarını yeniden düzenlemiştir. Arkasından gelen Hayrullah Örs ve Dr. Filiz Çağman gibi direktörler sayesinde Topkapı Sarayı bugün dünyadaki haklı şöhretini edinmiştir. Eksikler ve hatalara rağmen Cumhuriyet devrinde Topkapı Sarayı ele alınmıştır.

Türkiye müzeleri, bazılarının sandığının aksine, medeniyet kervanında geç kalmış müzeler değildir. Çünkü Rönesans'taki kapalı kolleksiyonlardan sonra halka açık ilk kolleksiyon, Vatikan müzeleridir. Britanya'da açılan ücretsiz kolleksiyon ise 1759'da açılan British Museum'dur. Gerçi Britanya Kraliyeti'nin bu ünlü kolleksiyonlarının görülmesi ücretsizdi, ancak ifade etmek gerekir ki bunları göstermekte çok cömert davranmıyor, kısmen gösteriyorlardı. Kolleksiyonlar üzerinde tahkikat yapmak ise çok daha zor, hatta imkânsızdı. Bu bakımdan o yıllarda Fransa'da çıkan ansiklopedilerde, "museum", "musée" gibi deyimlerin karşılığı verilirken; müzelerin, senyörlerin, kralların ve aristokratların özel kolleksiyonları olmaları dışında halkın eğitimi için de açılmaları gerektiği ifade edilmektedir.

Peki, bu ne zaman gerçekleşebilmiştir? Ancak monarşi yıkıldıktan sonra... Ağustos 1793'te Louvre Kraliyet Sarayı bir müze olarak düzenlendi, zengin kolleksiyonlar burada teşhir edildi. Belki bu ilk anda gereken sonucu sağlamamıştır, ama zamanla düzelme başlamıştır. Bilhassa General Bonaparte'ın "Napoleon" olarak taç giymeden önce, Mısır seferi sırasında Mısır'ı adeta ilmî bir incelemeye tabi tutması, ülkenin bitki ve hayvan örtüsü dâhil bütün eski eserlerini kaydettirmesi, hiyeroglifleri çok usta gravürcüler tarafından kopya ettirmesiyle müzeler düzelme yoluna gitmiştir. Nihayet bu sefer sırasında bulunan, Rosetta yahut Raşid taşı denen üç ayrı dilde yazılı ünlü kitabe ve epigrafik malzemeyle, Fransa'nın genç bilgini Champolleon tarafından 1830'larda hiyeroglifinin çözülmesiyle, Eski Mısır dünyası artık doğrudan zihinlerimize ve bilincimize girmiş ve müzecilikte yeni bir sayfa açılmıştır. Bunun ardından çivi yazısı çözülmüş, bu hazineler sadece zenginlik ve güzellik olarak değil, aynı zamanda bilimsel malzeme olarak değerlendirilmiş ve müzeler daha da gelişmeye başlamıştır.

Osmanlı müzelerinin bu gelişmelere ayak uydurduğunu, başka ülkelerdeki müzecilikle boy ölçüştüğünü söyleyemeyiz. Bu büyük bir iddia olur; ancak Osmanlı'da konunun önemi de anlaşılmış ve bu istikamette adımlar atılmıştır. Osmanlı devlet adamları Tanzimat'tan beri, eyaletlere eski eserlerin toplanması konusunda yazılar yazmaktadır. Bunun örnekleri de vardır. İlk toplamalar 1830 tarihlidir. Bu arada yanlış bir âdet de yaşamaktadır. Devlet, kendisiyle müttefik hükümdarlara, kendisine hizmet ettiğine inandığı diplomatlara eski eserler hediye etmektedir. Mesela Başbakanlık Arşivi'nde, Kırım Savaşı sırasında Avusturya İmparatoru'nun tarafsız kalmasında etkili olan Büyükelçi Baron Prokesch von Osten'e 50 küsur sikkenin hediye edildiğine dair vesikalara rastlamıştım. Kayser Wilhelm'e ünlü İskender Lahdi'nin verilmek istendiği, fakat bunun müze yetkilileri tarafından önlendiği bilinmektedir.

Ne yazık ki Osmanlı, ve ardından Cumhuriyet, Türkiye'deki zenginlikleri bilinçsizlikten değil, parasızlıktan koruyamamaktadır. Aynı yağmacılık ve ilgisizlik kendi eserlerimiz için de söz konusudur. Unutmayalım ki çok önemli mihrablarımız, minberlerimiz ve yüzlerce kıymetli halımız yok pahasına ülkeden dışarı çıkmıştır. Halil Ethem Bey, II. Meşrutiyet'ten sonra Süleymaniye Camii'nin yanındaki medreselerden birinde Evkaf-ı İslamiye Müzesi'ni kurmuştur. Sırf halılarımızı ve minberlerimizi korumak ve yağmadan kurtarmak için...

Müzeler bütün dünyada problemlerle karşı karşıyadır. Kimileri çok zengindir. Metropolitan ve Smithsonian gibi. Amerika'daki art galeriler veya Vatikan müzeleri gibi. Hermitage Müzesi, ihtilalden sonra Sovyet Hükümeti tarafından dünyanın en zengin müzelerinden biri haline çevrilmiştir. Buradaki kolleksiyonları saymakla bitiremeyiz. Bilhassa Türk tarihi için çok önemli parçalar bu müzede bulunmaktadır. Sadece İslamî döneme değil, İslam öncesi devirlere de ait çok önemli buluntular buradadır.

Bunların bir kısmını, başarıyla tertiplenen Londra'daki "Türkler" sergisinde görmemiz mümkün oldu.

Türkiye'de ihtisas müzeleri teşkil ettirilmesi son derece önemlidir. Artık elimize geçmiş bulunan, ama aşırı yük sebebiyle Topkapı Sarayı gibi bir yerde teşhir edemeyeceğimiz, Ayvazovskiler'i ve Picassolar'ı koyabileceğimiz bir millî müzeye ihtiyaç vardır. Louvre ve British Museum gibi veya Hermitage Müzesi gibi bir müzemiz yoktur henüz. Bu bir eksikliktir. Bu eksiklik derhal giderilmeli, ihtiyacımız olan müzeler kurulmalıdır.

MATBAA VE KİTAP

Bu yıl Kasım ayında Harf Devrimi'nin 80'inci yılını kutlayacağız. Latin harflerinin kabul edildiği ilk Müslüman toplum biz değiliz; Arnavutlar ilktir. Latin harflerini kabul eden ilk Türk cumhuriyeti ise Azerbaycan'dır; bu reform Çarlık hâkimiyeti ile Bolşevik Rusya'nın yeniden ilhakı arasındaki müstakil Azerbaycan tarafından yapılmıştır. Şimdi de Azerbaycan o zamanki alfabeyi yeniden kabul etti, kullanıyor.

Doğrusu, Türkiye'deki Latin alfabesi, mahallî telaffuzdan çok, İstanbul temelli bir umumî Türkçeyi hedef edindi. Harf Devrimi yapılırken iki gerekçe vardı; matbaanın ucuz ve seri kullanımı ve Türkçe imlanın bir düzene konması.

Muasır insanlık matbaayı Strasbourg ve Mainz arasında iş tutan Alman matbaacı Johannes Gutenberg'in icadı olarak kutlar. Bu doğrudur. Ancak el yazması dışında bazı metinleri seri olarak basma işi çok daha evvelden başvurulan bir teknikti. Özellikle Çinliler, çokça dağıtılması gereken bazı metinleri tahta kalıplar halinde dizerek, çabuk aşınıp erise de bir tür baskı tekniği kullanmışlardır.

Gutenberg'in matbaası mürekkebi dağıtmayan, aynı zamanda da aşınmayan yeni bir maden alaşımını bulmaya dayanır ve beş buçuk asırdır insanlığın hizmetindedir.

Shakespeare'in durumu

Okul eğitiminin getirdiği bir mütearife dolayısıyla, birçok kişi matbaanın insanların okumasını hızlandırdığını, okumayla aydınlanma vukua geldiğini bellemiştir. Oysa yaygın okuma alışkanlığının nedenleri daha çeşitli olmalıdır. Nitekim Rönesans Avrupası'nda bırakınız Aristoteles'in eserlerini ve dinî dua kitaplarını, mesela Fransızların Bertrandon de la Broquiere veya Almanların Hans Schiltberger tarafından kaleme alınan Türkiye seyahatnameleri bile matbaanın icadından çok önce yüzlerce kopya halinde çoğaltılıp okunmuştur.

Dahası, İtalya'da günlük gazete çıkarılır ve bunlar elle çoğaltılarak dağıtılırdı. Aslında matbaadan sonra da gazete değilse de birçok kitap için bu durum devam etti.

William Shakespeare 1616'da öldü. Shakespeare'in hiçbir eseri o hayattayken basılmış değildir. Ancak ölümünden birkaç sene sonra bazı eserlerinin tiyatrocu arkadaşlarınca kâğıda dökülüp iki forma halinde bastırıldığını bütün uzmanlar söyler, rahmetli Mina Urgan'dan da okuyabilirsiniz. Birçok tiyatro eseri, şiir ya kaybolmuştur ya da ilginç bir şey, sonradan basılmıştır. Demek ki insanlar, kültürel mirası uzun zaman hafızalarıyla yaşatmış ve devretmişlerdir.

Eski Roma edebiyatı ezbere uygun bir üslup taşır. Bütün klasik edebiyat türlerinin böyle bir uygunluğu vardır. Arap dilini konuşan kitlelerin ezber konusunda yetenekleri olduğu bilinir. Matbaa zamanla düz yazıyı hafıza dışına itti ve ayrı bir matbaa üslubu hem günlük gazetelerde hem de edebiyatta gelişti. Matbaayı Orta Avrupa'da geliştiren bir unsur da 17'nci asırdaki Türk ilerlemesine karşı el ilanlarının basımı ve dağıtımı için daha ucuz tekniklerin icadı oldu.

En iyi matbaa

Şunu söylemek isteriz: Türkiye'de matbaa 18'inci asırda hayata girdi, ilk listeye baktığınız zaman en çok okunan ve aranan divan, yani şiir derlemelerinin, vakayinamelerin burada yer almadığını görürsünüz. Mesela "Naima Tarihi" mevcut 50 veya 100 adet el yazması nüshadan okunur ve dinleyiciler tarafından takip edilirdi.

İlginç bir şey, 18'inci yüzyılda umumî kitaplıklar hayatımıza girmiş ve yazma nüshalar burada çoğunluğu meydana getirmiştir. Bununla birlikte matbaa Türk diliyle ilk defa İbrahim Müteferrika sayesinde tanışmıyordu. Sağda solda, İtalya'da pek nadir olsa da Türk dilinde metinler basılmıştır. İşin ilginci 18'inci asır Rusyası'nda Türk halklarına dinî propaganda yapan İskoç misyonerler, o mahallî lehçelerdeki İncil ve dua kitaplarını Arap harfleriyle basmışlardı. Baskı teknikleri Arap harflerini mükemmel şekilde dizmeyi imkânsız kılıyordu. Doğrusu, Müteferrika matbaası eserleri de mükemmel baskı örneklerinden sayılmaz.

Mehmet Ali Paşa'nın kurduğu yeni Mısır'da Arapça ve Türkçe birlikte kullanıldığından Kahire'deki Bulak Matbaası'nda basılan Arap harfli kitaplar en mükemmel örnekler sayılır ve bizzat Türkiye'de bu mükemmelliğe ulaşan ve onun tekniğini yer yer geçen ilk matbaa, Matbaa-ı Amire yani Topkapı Sarayı'nda açılan devlet matbaası değil, Ebuzziya Tevfik Bey'in kurduğu basımevidir.

Bilgisayarla gelen tehlike

Türkiye'de matbaanın, ilk başta yasak edilmesine rağmen, zamanla Kur'an-ı Kerim basımına kadar yayılması her şeyden evvel ordunun kendi ihtiyaçları için matbaayı yaygın olarak kullanmasından, sonra merkezileşen eğitim sisteminin bu tekniğe başvurmasından ileri gelir. Gene de Harf Devrimi'ne geçtiğimiz yıllarda, Türkçe matbaa eserleri başlık olarak 40 bin kadardı.

Aynı rakam 18'inci asırdan 20'nci asra kadar Rusya'da 300 bine, İngiltere'de 2 milyona yaklaşıyordu. İşin garibi, Harf Devrimi'ne rağmen okullardaki ders notları dâhil birçok eser el yazısına ve dolayısıyla Arap harflerine dayanmıştır. Okuma alışkanlığı için galiba iyi eğitim ve insanların yalnız kalmayı sevmesi baş şarttır.

Bugün okuma yazma alışkanlığı bilgisayar sayesinde gelişiyor diyoruz. Bilgisayardan metin taraması yaptığımız zaman okuma dışında dedikodunun yaygın olduğu görülüyor. Ciddi bir tehlike daha var; bilgisayar üslubu nedeniyle imla bozuluyor. Demek ki bilgisayarın kayıt ve saklama üstünlüğünden ve hızlı işlem niteliğinden yararlanmak için dahi kitap okumak gerekiyor ve unutmayalım, başarılı bir matbaanın eseri olan güzel bir kitabın yerini hiçbir şey alamaz.

OSMANLI'YI YENİDEN KEŞFETMEK

İLBER ORTAYLI

Geçmişten geleceğe tarihi gelişmelere ışık tutarken, tarihin bıraktığı izleri irdeleyen, günümüzün "tarihi sevdiren adamı" olarak bilinen İlber Ortaylı bu sefer okuru Osmanlı'yı; padişahları, sarayları, yönetim şekli, semtleri ve abidevi eserleriyle kısacası kendine özgü kimliğiyle yeniden keşfetmeye davet ediyor.

OSMANLI BARIŞI

İLBER ORTAYLI

"Osmanlı Barışı (Pax Ottomana) şüphesiz bir sistemin adıdır ve son yıllarda Roma Barışı (Pax Romana) gibi çok kullanılmaya başlanmıştır. Şunu söylemek gerekir ki bu bir abartma tabir değildir, yanlış da değildir. Tarihin bir döneminde, Osmanlı İmparatorluğu'nun özellikle Balkanlar ve Ortadoğu'da kendini ortaya koymasıdır."